VOCA 다:품

고교 필수 영단어

고등학교 영어 시험
핵심 포인트!

“중학교와 고등학교 영어 시험은 달라요.”

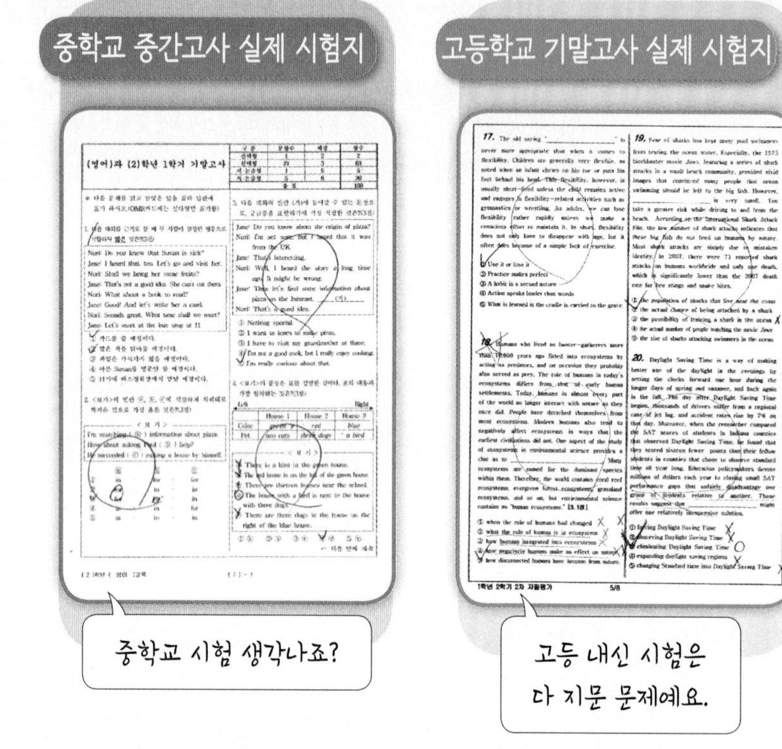

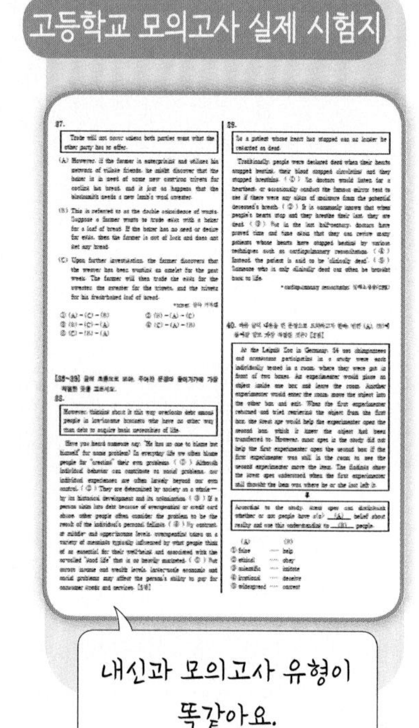

고등학교 영어 시험은 중학교와 다르게 대부분 지문 중심으로 출제됩니다. 수능 영어도 마찬가지에요.
그래서 고등 영어 시험은 **어휘력**이 가장 중요합니다.
어휘를 모르면 해석이 안 되고, 글의 내용이 이해되지 않죠. 그럼 결국 문제를 풀 수가 없어요.

영어 공부에 왕도는 없습니다.
상시 어휘를 암기하고, 지문 독해를 많이 연습하세요.
시작은 어휘라는 것 잊지 말고요.

어휘력이 영어 1등급의 기초입니다!

"어휘를 모르면 함정에 빠질 수 있어요."

수능 실제 시험지

40. 다음 글의 내용을 한 문장으로 요약하고자 한다. 빈칸 (A), (B)에 들어갈 말로 가장 적절한 것은?

> Time spent on on-line interaction with members of one's own, preselected community leaves less time available for actual encounters with a wide variety of people. If physicists, for example, were to concentrate on exchanging email and electronic preprints with other physicists around the world working in the same specialized subject area, they would likely devote less time, and be less receptive to new ways of looking at the world. Facilitating the voluntary construction of highly homogeneous social networks of scientific communication therefore allows individuals to filter the potentially overwhelming flow of information. But the result may be the tendency to overfilter it, thus eliminating the diversity of the knowledge circulating and diminishing the frequency of radically new ideas. In this regard, even a journey through the stacks of a real library can be more fruitful than a trip through today's distributed virtual archives, because it seems difficult to use the available "search engines" to emulate efficiently the mixture of predictable and surprising discoveries that typically result from a physical shelf-search of an extensive library collection.
>
> * homogeneous : 동종의 ** emulate : 따라 하다

⬇

> Focusing on on-line interaction with people who are engaged in the same specialized area can ___(A)___ potential sources of information and thus make it less probable for ___(B)___ findings to happen.

	(A)		(B)		(A)		(B)
①	limit	……	unexpected	②	limit	……	distorted
③	diversify	……	misleading	④	diversify	……	accidental
⑤	provide	……	novel				

점수 변별력은 선택지 어휘를 아는지에 달려있어요.

어휘력이 중요한 이유를 한 가지 더 짚어봅니다.
아는 어휘를 총 동원해서 앞뒤 연결하며 어찌저찌 짜 맞추고
지문이 무슨 내용인지 겨우 이해는 했는데... 두둥~
선택지가 영어로 나오면 맥락이고 뭐고 없으니 그냥 틀려버리는 경우가 많아요.
선택지에 나오는 어휘는 서로 비슷하거나 반대되는 것으로 제시되어
헷갈리는 오답을 유도하죠. 부들부들...
지문은 다 이해했는데 선택지 어휘를 몰라 틀리면 너무 억울하잖아요.

다시 한 번, 어휘력이 영어 1등급의 기초임을 잊지 마세요.

VOCA 다:품이 좋은 이유!

1 어휘를 쉽게 암기할 수 있어요.

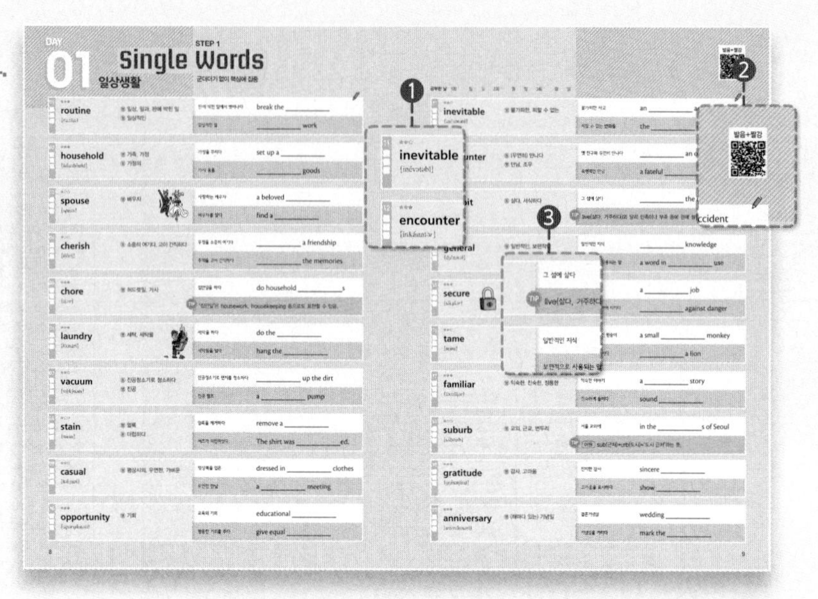

❋ Step 1의 표제어는 주제별로 묶여 있어 어휘 연상에 도움이 되고 암기의 속도를 높여줍니다.

❋ 문장이 아닌 짧은 구로 예시를 제시해 어휘의 쓰임을 바로 알 수 있습니다.

❶ 중요하고 자주 출제되는 어휘를 ★로 표시하였습니다.
❷ [발음+짤강]으로 바로 연결되는 QR코드를 담았습니다.
❸ 어원, 유의어 차이, 파생어 등과 같은 암기에 유용한 어휘 Tip을 제공합니다.

2 헷갈리는 어휘를 묶음으로 외울 수 있어요.

❋ Step 2는 유의어·반의어·혼동어 등이 쌍으로 묶여 있어 어휘를 한번에 효율적으로 암기할 수 있습니다.

❋ 이 어휘들은 실제 시험에서도 함께 나오는 경우가 많기 때문에 실전 대비에 유용합니다.

큰 사이즈니까 책을 꾹꾹 눌러가며 펼치는 불편 없이
– 표제어를 주제별 및 쌍으로 효율적으로 암기하고
– 예시어구의 빈칸에 어휘를 직접 써서 완성해보고
– 다양한 유형으로 넉넉히 테스트 해가며
어휘 학습을 완성하세요.

3

실제 시험 유형의 문제로
실전 감각을 기를 수 있어요.

◈ 내신, 모의고사, 수능 유형의 문제를 풀며 어휘를 충분히 연습할 수 있습니다.

4

학습에 유용한 자료가 풍성해요.

◈ [발음+짤강] 발음 뿐 아니라 어휘 포인트를 짚어주는 짧은 강의를 제공합니다.
◈ [부가자료 한글 파일] 일일·누적 테스트지/영영풀이 목록·테스트지/헷갈리는 어휘 '쌍' 목록/표제어 예문 파일 등과 같은 풍부한 보충·심화 자료를 제공합니다.
◈ [출제 프로그램] 맞춤 시험지를 제작해 풀어볼 수 있는 프로그램을 제공합니다.

VOCA 다품 은 다음의 어휘를 모아 고교 필수 영단어를 선정했습니다.

- 교육과정에 제시된 기본 어휘 목록에서 고등 수준 어휘
- 고등학교 영어 교과서에 쓰인 어휘
- 고등학교 모의고사 기출 어휘

VOCA 다품 3회독 완성 스케줄러

어휘는 매일 매일 습관처럼 공부하는 게 좋아요.

공부할 때마다
- 학습 날짜 적고
- 암기한 단어 체크 ✓

Day	주제	page	1회독	2회독	3회독
01	일상생활	8			
02	학교생활	14			
03	사회생활	20			
04	성격/태도	26			
05	감정/생각	32			
06	능력	38			
07	동작	44			
08	심리	50			
09	대인 관계	56			
10	통신/의사소통	62			
11	대중 매체	68			
12	예술	74			
13	공연/행사	80			
14	건축	86			
15	문학/언어	92			
16	역사/문화/지리	98			

어휘는 반복해서 보는 게 좋아요. 3회독은 기본입니다.

Day	주제	page	1회독	2회독	3회독
01	일상생활	8	○		
02	학교생활	14			

1회독할 때마다
– 끝냈다는 완료 표시 ○

DAY 01 일상생활

STEP 1
Single Words
군더더기 없이 핵심에 집중

No.	Word	Meaning	표현	Phrase
01 ★★★	**routine** [ru:tí:n]	명 일상, 일과, 판에 박힌 일 형 일상적인	판에 박힌 일에서 벗어나다	break the ________
			일상적인 일	________ work
02 ★★★	**household** [háushòuld]	명 가족, 가정 형 가정의	가정을 꾸리다	set up a ________
			가사 용품	________ goods
03 ★☆☆	**spouse** [spaus]	명 배우자	사랑하는 배우자	a beloved ________
			배우자를 찾다	find a ________
04 ★☆☆	**cherish** [tʃériʃ]	동 소중히 여기다, 고이 간직하다	우정을 소중히 여기다	________ a friendship
			추억을 고이 간직하다	________ the memories
05 ★★★	**chore** [tʃɔ:r]	명 허드렛일, 가사	집안일을 하다	do household ________s
			TIP '집안일'은 housework, housekeeping 등으로도 표현할 수 있음.	
06 ★★★	**laundry** [lɔ́:ndri]	명 세탁, 세탁물	세탁을 하다	do the ________
			세탁물을 널다	hang the ________
07 ★★☆	**vacuum** [vǽkjuəm]	동 진공청소기로 청소하다 명 진공	진공청소기로 먼지를 청소하다	________ up the dirt
			진공 펌프	a ________ pump
08 ★☆☆	**stain** [stein]	명 얼룩 동 더럽히다	얼룩을 제거하다	remove a ________
			셔츠가 더럽혀졌다.	The shirt was ________ed.
09 ★★☆	**casual** [kǽʒuəl]	형 평상시의, 우연한, 가벼운	평상복을 입은	dressed in ________ clothes
			우연한 만남	a ________ meeting
10 ★★★	**opportunity** [àpərtjú:nəti]	명 기회	교육의 기회	educational ________
			평등한 기회를 주다	give equal ________

공부한 날 1회 | 월 일 2회 | 월 일 3회 | 월 일

11 ★★☆	**inevitable** [inévətəbl]	형 불가피한, 피할 수 없는	불가피한 사고	an ______ accident
			피할 수 없는 변화들	the ______ changes
12 ★★★	**encounter** [inkáuntər]	동 (우연히) 만나다 명 만남, 조우	옛 친구와 우연히 만나다	______ an old friend
			숙명적인 만남	a fateful ______
13 ★★☆	**inhabit** [inhǽbit]	동 살다, 서식하다	그 섬에 살다	______ the island
			TIP	live(살다, 거주하다)와 달리 민족이나 부족 등에 관해 말할 때 쓰는 일이 많음.
14 ★★★	**general** [dʒénərəl]	형 일반적인, 보편적인	일반적인 지식	______ knowledge
			보편적으로 사용되는 말	a word in ______ use
15 ★★★	**secure** [sikjúər]	형 안정된, 안전한 동 보호하다, 지키다, 획득하다	안정된 직업	a ______ job
			위험에 대비하여 지키다	______ against danger
16 ★★☆	**tame** [teim]	형 길들여진 동 길들이다, 다스리다	작고 길들여진 원숭이	a small ______ monkey
			사자를 길들이다	______ a lion
17 ★★★	**familiar** [fəmíljər]	형 익숙한, 친숙한, 정통한	익숙한 이야기	a ______ story
			친숙하게 들리다	sound ______
18 ★☆☆	**suburb** [sʌ́bəːrb]	명 교외, 근교, 변두리	서울 교외에	in the ______s of Seoul
			TIP	어원 sub(근처)+urb(도시)='도시 근처'라는 뜻.
19 ★★★	**gratitude** [grǽtətjùːd]	명 감사, 고마움	진지한 감사	sincere ______
			고마움을 표시하다	show ______
20 ★★★	**anniversary** [æ̀nəvə́ːrsəri]	명 (해마다 있는) 기념일	결혼기념일	wedding ______
			기념일을 기리다	mark the ______

DAY 01 | 일상생활

STEP 2

Word Pairs

관련어 '쌍'으로 암기

알쏭달쏭 혼동어

No.	Word	Meaning	Phrase (Korean)	Phrase (English)
21	**lie** [lai]	동 눕다, 놓여 있다, 거짓말하다	침대에 눕다	______ in bed
	lay [lei]	동 눕히다, 놓다	아기를 눕히다	______ a baby down

TIP 동사 변화형 ① lie(눕다)-lay-lain ② lie(거짓말하다)-lied-lied ③ lay(놓다)-laid-laid

No.	Word	Meaning	Phrase (Korean)	Phrase (English)
22	**mess** [mes]	명 혼란, 엉망진창 동 엉망으로 만들다	혼란에 빠지다	get into a ______
	mass [mæs]	명 무리, 다수, 덩어리	사람들 무리	a ______ of people
23	**sew** [sou]	동 꿰매다, 바느질하다	구멍을 꿰매다	______ up a hole
	sow [sou]	동 (씨 등을) 심다, 뿌리다	농작물을 심다	______ a crop

비슷한 뜻 유의어

No.	Word	Meaning	Phrase (Korean)	Phrase (English)
24	**sudden** [sʌ́dn]	형 갑작스러운	갑작스러운 변화	a ______ change
	abrupt [əbrʌ́pt]	형 갑작스러운, 퉁명스러운	갑작스러운 질문	an ______ question

반대의 뜻 반의어

No.	Word	Meaning	Phrase (Korean)	Phrase (English)
25	**comfortable** [kʌ́mfərtəbl]	형 편안한, 쾌적한	편안한 자리	______ seats
	uncomfortable [ʌnkʌ́mfərtəbl]	형 불편한, 불쾌감을 주는	불편한 신발을 신다	wear ______ shoes
26	**common** [kámən]	형 흔한, 일반적인, 공통의	흔한 실수	a ______ error
	uncommon [ʌnkámən]	형 보기 드문, 흔치 않은	보기 드문 경우	an ______ case
27	**normal** [nɔ́ːrməl]	형 평범한, 보통의, 정상적인	평범한 삶을 살다	live a ______ life
	abnormal [æbnɔ́ːrməl]	형 이상한, 비정상적인	이상 행동	______ behavior
28	**ordinary** [ɔ́ːrdənèri]	형 보통의, 평범한	보통 사람	an ______ person
	extraordinary [ikstrɔ́ːrdənèri]	형 비범한, 놀라운	비범한 재능	an ______ talent
29	**urban** [ə́ːrbən]	형 도시의, 도심의	도시 개발	______ development
	rural [rúərəl]	형 시골의, 지방의	시골의 생활 방식	a ______ lifestyle

살짝 바꾼 파생어

30	**appreciate** [əprì:ʃièit]	동 인정하다, 감사하다	그녀의 능력을 인정하다	____________ her ability
	appreciation [əprì:ʃiéiʃən]	명 이해, 감사	감사의 뜻으로	by way of ____________
31	**accomplish** [əkámpliʃ]	동 이루다, 성취하다, 해내다	목표를 이루다	____________ the goal
	accomplishment [əkámpliʃmənt]	명 성취, 업적	성취감	a sense of ____________
32	**arrange** [əréindʒ]	동 준비하다, 정하다, 정리하다	일렬로 정리하다	____________ in a row
	arrangement [əréindʒmənt]	명 준비, 계획, 정리	여행 계획	travel ____________s

TIP -ment는 동사 끝에 붙어 '동작이나 결과, 상태' 등을 뜻하는 명사로 만듦.

33	**necessary** [nésəsèri]	형 필요한, 필수적인	필요한 물품들을 사다	buy ____________ items
	necessity [nəsésəti]	명 필요성, 필수품	생활 필수품	a daily ____________
34	**personal** [pə́rsənl]	형 개인의, 자신의	개인의 업적	____________ accomplishment
	personality [pə̀:rsənǽləti]	명 성격, 인격	외향적인 성격	an outgoing ____________
35	**private** [práivət]	형 사적인, 사유의	사교육	____________ education
	privacy [práivəsi]	명 사생활, 프라이버시	내 사생활을 보호하다	protect my ____________
36	**occur** [əkə́:r]	동 일어나다, 발생하다	놀라운 일들이 일어났다.	Surprising things ____________red.
	occurrence [əkə́:rəns]	명 발생, 출현, 일	흔치 않은 일	an uncommon ____________
37	**proceed** [prəsí:d]	동 진행하다, 나아가다	계획대로 진행하다	____________ as planned
	procedure [prəsí:dʒər]	명 절차, 방법	정상적인 절차를 따르다	follow the normal ____________
38	**reside** [rizáid]	동 거주하다, 살다	도심 지역에서 살다	____________ in urban areas
	resident [rézədnt]	명 주민, 거주민 형 거주하는	파리 거주자	a ____________ of Paris

STEP 3

Review

A 예비 영단어 또는 우리말 뜻 쓰기

1. sudden	________	9. 소중히 여기다, 고이 간직하다	________
2. stain	________	10. (우연히) 만나다; 만남, 조우	________
3. routine	________	11. 길들여진; 길들이다, 다스리다	________
4. uncommon	________	12. 배우자	________
5. resident	________	13. 준비하다, 정하다, 정리하다	________
6. abrupt	________	14. 진행하다, 나아가다	________
7. occurrence	________	15. 교외, 근교, 변두리	________
8. vacuum	________	16. 가족, 가정; 가정의	________

B 기본 덩어리 표현 완성하기

1. 위험에 대비하여 지키다	________ against danger	9. 그녀의 능력을 인정하다	________ her ability
2. 목표를 이루다	________ the goal	10. 아기를 눕히다	________ a baby down
3. 생활 필수품	a daily ________	11. 일상적인 일	________ work
4. 내 사생활을 보호하다	protect my ________	12. 여행 계획	travel ________s
5. 이상 행동	________ behavior	13. 외향적인 성격	an outgoing ________
6. 세탁을 하다	do the ________	14. 집안일을 하다	do household ________s
7. 결혼기념일	wedding ________	15. 익숙한 이야기	a ________ story
8. 우연한 만남	a ________ meeting	16. 불편한 신발을 신다	wear ________ shoes

▶ 정답 p. 190

C 내신 기출 유형 밑줄 친 단어와 의미가 같은 표현 고르기

선택지 단어 뜻 쓰며 더블 체크!

1. Only animals inhabit the island.
   ① tame ______ ② reside on ______ ③ occur in ______ ④ secure ______

2. Please print only when necessary.
   ① normal ______ ② ordinary ______ ③ familiar ______ ④ inevitable ______

3. The general view is that the meeting was boring.
   ① private ______ ② casual ______ ③ common ______ ④ personal ______

4. They were given a small gift in appreciation of their time and effort.
   ① opportunity ______ ② gratitude ______ ③ accomplishment ______ ④ procedure ______

D 수능 기출 유형 문맥상 알맞은 단어 고르기

1. (1) You [sew / sow] a seed, water the soil, and watch your plant grow into tomatoes or flowers.
   (2) My mother grew up playing with dolls that my grandmother had [sewn / sown] by hand.

2. (1) Sometimes ambition leads us to [lay / lie] and to hurt others.
   (2) Autumn is placed in a perfect position to let us [lay / lie] down our worries for a while and make full preparations for a hard time.

3. The biggest question is how they got into this [mass / mess] in the first place.

4. To accomplish our goals, we need competitive and [extraordinary / normal] people to join our team.

5. City planners, also known as [rural / urban] planners, check an area so it can be developed into a city.

DAY 02 학교생활

STEP 1

Single Words

군더더기 없이 핵심에 집중

No.	Word	Meaning	Example (Korean)	Example
01	★★★ **academic** [ækədémik]	형 학업의, 학교의, 학문적인	학과목	______ subjects
			새로운 학년	a new ______ year
02	★★★ **primary** [práimeri]	형 초등의, 주요한, 최초의	초등 교육	______ education
			주요한 책임	the ______ responsibility
03	★★☆ **intermediate** [ìntərmí:diət]	형 중간의, 중급의 명 중재자, 매개	중급 과정	an ______ course
			TIP inter-가 앞에 붙으면 '상호간의, 사이의'라는 의미와 관련된 뜻.	
04	★★★ **remind** [rimáind]	동 생각나게 하다, 상기시키다, 알려주다	나에게 숙제하도록 상기시키다	______ me to do homework
			제게 알려주실래요?	Can you ______ me?
05	★★☆ **adolescent** [ædəlésnt]	명 청소년	청소년이 되다	become ______s
			청소년 문화	______ culture
06	★★★ **pupil** [pjú:pl]	명 학생, 제자	유능한 학생	an able ______
			TIP pupil은 보통 나이가 어린 초등학생을 나타내고 student는 학교에서 공부하는 학생 전체를 가리킴.	
07	★★★ **aid** [eid]	명 도움, 지원, 보조물 동 돕다, 촉진하다	청각 보조물	audio ______s
			어려운 학생들을 돕다	______ students in need
08	★★★ **praise** [preiz]	명 칭찬, 찬사 동 칭찬하다, 찬양하다	칭찬을 듣다	get ______
			크게 칭찬하다	______ highly
09	★★★ **attempt** [ətémpt]	동 시도하다, 꾀하다 명 시도	어려운 과제를 시도하다	______ a difficult task
			재차 시도하다	make a second ______
10	★★★ **challenge** [tʃǽlindʒ]	명 도전, 난제 동 도전하다, 요구하다	도전에 직면하다	face a ______
			세계 기록에 도전하다	______ the world record

BRAVO!

발음+짤강

공부한 날 1회 | 월 일 2회 | 월 일 3회 | 월 일

11 ★★★ **purpose** [pə́ːrpəs]
명 목적, 목표

공통의 목적	a common ________

TIP 어원 pur(앞에)+pose(두다)='앞에 두고 목표로 삼다'라는 의미에서 나온 뜻.

12 ★★★ **complete** [kəmplíːt]
형 완전한, 완성된, 완벽한
동 완료하다, 마치다

완전한 문장	a ________ sentence
석사 과정을 마치다	________ a master's degree

13 ★★★ **comprehend** [kàmprihénd]
동 이해하다, 내포하다

그 문제를 이해하다	________ the question
많은 의미를 내포하다	________ many meanings

14 ★★☆ **bully** [búli]
동 괴롭히다, 협박하다
명 괴롭히는 사람

약자를 괴롭히다	________ the weak
학교에서 아이들을 괴롭히는 학생	the school ________

15 ★★★ **cheat** [tʃiːt]
동 속이다, 부정행위를 하다
명 속임수, 사기

시험에서 부정행위를 하다	________ on an exam

TIP '커닝(cunning)하다'는 잘못된 표현. cunning은 '교활한'이라는 뜻.

16 ★★★ **strict** [strikt]
형 엄격한, 엄밀한

엄격한 교사	a ________ teacher
엄밀히 말하면	in the ________ sense

17 ★★★ **discipline** [dísəplin]
명 규율, 훈련, 수업
동 훈련하다, 단련하다

엄격한 학교 규율	strict school ________
스스로를 단련하다	________ oneself

18 ★★★ **grant** [grænt]
동 주다, 수여하다, 인정하다
명 보조금

학위를 수여하다	________ a degree
학비 보조금	student ________s

19 ★★☆ **guidance** [gáidns]
명 지도, 안내, 가르침

선생님의 지도하에	under a teacher's ________
일반적인 안내	general ________

20 ★★★ **lecture** [léktʃər]
명 강의, 강연
동 강의하다

강의하다	give a ________
음악 역사에 관해 강의하다	________ on music history

STEP 2
Word Pairs
관련어 '쌍'으로 암기

알쏭달쏭 혼동어

No.	Word	Meaning	예시	Phrase
21	**compliment** [kάmpləmənt]	동 칭찬하다 명 칭찬, 찬사	좋은 성적을 칭찬하다	______ on good grades
	complement [kάmpləmənt]	동 보완하다 명 보충물	서로 보완하다	______ each other
22	**freshman** [fréʃmən]	명 신입생, 1학년생	고등학교 신입생	a high school ______
	sophomore [sάfəmɔ̀ːr]	명 2학년생	2학년 학급	the ______ class

TIP 4년제 대학의 학년별 호칭: freshman(1학년), sophomore(2학년), junior(3학년), senior(4학년)

No.	Word	Meaning	예시	Phrase
23	**intelligent** [intélədʒənt]	형 총명한, 똑똑한	똑똑한 질문을 하다	ask an ______ question
	intellectual [ìntəléktʃuəl]	형 지능의, 지적인	지적 호기심	______ curiosity

반대의 뜻 반의어

No.	Word	Meaning	예시	Phrase
24	**correct** [kərékt]	형 맞는, 정확한 동 바로잡다	정답	a ______ answer
	incorrect [ìnkərékt]	형 틀린, 부정확한	틀린 정보	______ information
25	**even** [íːvən]	형 짝수의, 평평한, 같은	짝수	______ numbers
	odd [ɑd]	형 홀수의, 이상한, 특이한	홀수 달에	in the ______ months
26	**former** [fɔ́ːrmər]	형 이전의, 전자의 명 전자	옛날에는	in ______ times
	latter [lǽtər]	형 후반의, 후자의 명 후자	후자의 선택	the ______ option

살짝 바꾼 파생어

No.	Word	Meaning	예시	Phrase
27	**concentrate** [kάnsəntrèit]	동 집중하다, 전념하다	공부에 집중하다	______ on studying
	concentration [kὰnsəntréiʃən]	명 집중, 전념	내 집중력을 잃다	lose my ______
28	**dictate** [díkteit]	동 받아쓰게 하다, 지시하다	교과 과정을 지시하다	______ course curriculum
	dictation [diktéiʃən]	명 받아쓰기, 지시	받아쓰다	take ______
29	**evaluate** [ivǽljuèit]	동 평가하다, 측정하다	학생의 능력을 평가하다	______ a student's ability
	evaluation [ivæ̀ljuéiʃən]	명 평가, 분석	평가 절차	the ______ procedure

30	**graduate** [grǽdʒuèit] [grǽdʒuət]	동 졸업하다, 학업을 마치다 명 졸업생	학교를 졸업하다	________ from school
	graduation [grædʒuéiʃən]	명 졸업, 졸업식	졸업 후에	after ________
31	**instruct** [instrʌ́kt]	동 지시하다, 가르치다	젊은 사람들을 가르치다	________ young people
	instruction [instrʌ́kʃən]	명 지시, 가르침, 설명서	지시를 따르다	follow the ________s
32	**present** [préznt] [prizént]	형 현재의, 있는 동 보여 주다, 주다	현재의 상황에서	in the ________ situation
	presentation [prèzəntéiʃən]	명 발표, 제출	발표하다	deliver a ________

TIP -(t)ion은 동사 끝에 붙어 '동작이나 상태' 등을 뜻하는 명사로 만듦.

33	**assign** [əsáin]	동 부여하다, 할당하다	과제를 부여하다	________ tasks
	assignment [əsáinmənt]	명 숙제, 임무, 배정	역사 숙제를 하다	do a history ________
34	**enroll** [inróul]	동 등록하다, 기록하다	강좌에 등록하다	________ in a course
	enrollment [inróulmənt]	명 등록, 입학	입학 신청서를 작성하다	fill out an ________ form
35	**assist** [əsíst]	동 돕다, 조력하다	캠페인을 돕다	________ in a campaign
	assistant [əsístənt]	명 조수, 보조원	조수로 일하다	serve as an ________
36	**attend** [əténd]	동 출석하다, 참석하다, 돌보다	수업에 출석하다	________ classes
	attendant [əténdənt]	명 안내원, 수행원, 참석자	박물관 안내원	a museum ________
37	**absent** [ǽbsənt] [æbsént]	형 결석한, 부재의 동 결석하다	그는 학교를 결석했다.	He was ________ from school.
	absence [ǽbsəns]	명 결석, 부재, 결핍	무단결석	________ without leave
38	**scholar** [skɑ́lər]	명 학자, 교수, 장학생	비범한 학자	an extraordinary ________
	scholarship [skɑ́lərʃip]	명 학문, 장학금	장학금을 받다	win a ________

STEP 3
Review

A 예비 영단어 또는 우리말 뜻 쓰기

1. cheat	______	9. 도전; 도전하다, 요구하다	______
2. sophomore	______	10. 졸업, 졸업식	______
3. assist	______	11. 등록, 입학	______
4. absent	______	12. 시도하다, 꾀하다; 시도	______
5. aid	______	13. 생각나게 하다, 알려주다	______
6. adolescent	______	14. 숙제, 임무, 배정	______
7. instruct	______	15. 중간의, 중급의; 중재자, 매개	______
8. attend	______	16. 발표, 제출	______

B 기본 덩어리 표현 완성하기

1. 지적 호기심	______ curiosity	9. 평가 절차	the ______ procedure
2. 틀린 정보	______ information	10. 유능한 학생	an able ______
3. 공통의 목적	a common ______	11. 과제를 부여하다	______ tasks
4. 공부에 집중하다	______ on studying	12. 그 문제를 이해하다	______ the question
5. 초등 교육	______ education	13. 무단결석	______ without leave
6. 받아쓰다	take ______	14. 약자를 괴롭히다	______ the weak
7. 조수로 일하다	serve as an ______	15. 강의하다	give a ______
8. 강좌에 등록하다	______ in a course	16. 장학금을 받다	win a ______

▶ 정답 p. 190

C 내신 기출 유형 밑줄 친 단어와 의미가 같은 표현 고르기

선택지 단어 뜻 쓰며 더블 체크!

1. They praised the work as highly original.
   ① comprehended ______ ② complemented ______ ③ completed ______ ④ complimented ______

2. Activities all take place under the guidance of an experienced instructor.
   ① concentration ______ ② evaluation ______ ③ instruction ______ ④ presentation ______

3. Education is the basis of one's academic growth and social development.
   ① strict ______ ② correct ______ ③ intellectual ______ ④ present ______

4. The committee offers a scholarship for some freshman enrolled in the university.
   ① a lecture ______ ② a grant ______ ③ a discipline ______ ④ an attempt ______

D 수능 기출 유형 문맥상 알맞은 단어 고르기

1. (1) Two, four, six, and eight are all [even / odd] numbers.
   (2) It is [even / odd], but I feel I have known you for a very long time.

2. (1) The side dishes perfectly [complement / compliment] the main dish.
   (2) Giving an unexpected [complement / compliment] can make your friends really happy at times.

3. He had to dress entirely in black to [absent / attend] a funeral.

4. Students sometimes use [correct / incorrect] grammar with their friends even though they learn grammar in school.

5. They keep horses and cattle, the [former / latter] for riding, the [former / latter] for food.

DAY 03 사회생활

STEP 1
Single Words
군더더기 없이 핵심에 집중

01 ★☆☆	**sociable** [sóuʃəbl]	형 사교적인, 붙임성 있는	쾌활하고 사교적인 기질	cheerful and ________ temper
			붙임성 있는 사람	a ________ person
02 ★★☆	**acquaintance** [əkwéintəns]	명 아는 사람, 친분, 지식	조금 아는 사람	a casual ________
			TIP 친구(friend)만큼 친밀하지는 않지만 어느 정도 알고 있거나, 친분이 있는 사람을 가리킴.	
03 ★★★	**accompany** [əkʌ́mpəni]	동 동행하다, 동반하다, 반주하다	내 친구들과 동행하다	________ my friends
			가수의 노래에 반주하다	________ a singer
04 ★★★	**colleague** [kɑ́li:g]	명 (업무상의) 동료	우리의 친구이자 동료	our friend and ________
			그의 학문적 동료	his academic ________
05 ★☆☆	**socialize** [sóuʃəlàiz]	동 교제하다, 어울리다, 사회화하다	동료들과 어울리다	________ with coworkers
			TIP SNS(Social Network Service, 소셜 네트워크 서비스)의 맨 처음 S는 social(사회의, 사회적인)을 의미.	
06 ★★★	**invitation** [ìnvitéiʃən]	명 초대(장), 초청	결혼식 초대장	wedding ________
			초청받다	receive an ________
07 ★★★	**hospitality** [hɑ̀spətǽləti]	명 환대, 대접, 접대	따뜻한 환대를 하다	offer warm ________
			푸짐한 대접	lots of ________
08 ★★★	**career** [kəríər]	명 경력, 직업, 진로	경력을 쌓다	make a ________
			직업 지도	________ guidance
09 ★★☆	**recruit** [rikrú:t]	동 모집하다, 뽑다 / 명 신입 사원	신입 직원을 모집하다	________ new employees
			신입 사원	a fresh ________
10 ★★☆	**applicant** [ǽplikənt]	명 지원자, 신청자	구직자	a job ________
			가입 신청자	an ________ for membership

공부한 날 1회 | 월 일 2회 | 월 일 3회 | 월 일

No.	단어	뜻	예문 (우리말)	예문 (영어)
11 ★★☆	**certificate** [sərtífikeit]	명 증명서, 자격증	교사 자격증을 취득하다	earn a teaching ________
			TIP 어원 cert(확실한)+ficate(만드는 것)='확실하게 만드는 것'이라는 의미에서 나온 뜻.	
12 ★★★	**chief** [tʃiːf]	명 (조직·집단 등의) 장, 우두머리 형 최고의, 주된	경찰청장	the ________ of police
			주된 원인	the ________ cause
13 ★★★	**fame** [feim]	명 명성	명성과 부	________ and wealth
			국제적 명성을 얻다	gain international ________
14 ★★★	**contribute** [kəntríbjuːt]	동 기여하다, 공헌하다, 기부하다	공공복지에 기여하다	________ to public welfare
			자선 단체에 기부하다	________ to a charity
15 ★★★	**shift** [ʃift]	동 옮기다, 이동하다 명 변화, 이동, 교대 근무	여기저기로 옮기다	________ from place to place
			교대 근무자	________ workers
16 ★☆☆	**mission** [míʃən]	명 임무, 사명	그 임무를 수행하다	carry out the ________
			TIP mission은 주로 외국으로 파견되는 사람이 맡은 임무를 나타내고 task는 못마땅하고 힘들지만 해야 하는 일이나 과업을 가리킴.	
17 ★☆☆	**pledge** [pledʒ]	명 (굳은) 약속, 맹세, 서약 동 약속하다, 맹세하다	선거 공약	an election ________
			내 최선의 노력을 약속하다	________ my best efforts
18 ★★★	**opinion** [əpínjən]	명 의견, 생각, 여론	사적인 의견	personal ________
			긍정적인 생각을 갖다	have a positive ________
19 ★★★	**suppose** [səpóuz]	동 생각하다, 추측하다, 가정하다	나는 그녀가 30살이라고 생각했다.	I ________d she was 30.
			그것이 사실이라고 가정하다	________ that it is true
20 ★★★	**demonstrate** [démənstrèit]	동 증명하다, 입증하다, 시위하다	이론을 증명하다	________ a theory
			전쟁 반대 시위를 벌이다	________ against the war

DAY 03 | 사회생활

STEP 2
Word Pairs
관련어 '쌍'으로 암기

알쏭달쏭 혼동어

No.	Word	Meaning	뜻	Phrase
21	**adapt** [ədǽpt]	동 적응하다, 조정하다	새로운 환경에 적응하다	________ to a new environment
	adopt [ədɑ́pt]	동 채택하다, 취하다, 입양하다	그 아이디어를 채택하다	________ the idea
22	**successful** [səksésfəl]	형 성공한, 출세한	크게 성공하다	become highly ________
	successive [səksésiv]	형 연속적인, 연이은	연승	________ victories

비슷한 뜻 유의어

No.	Word	Meaning	뜻	Phrase
23	**devote** [divóut]	동 바치다, 전념하다	일생을 바치다	________ a lifetime
	dedicate [dédikèit]	동 헌신하다, 바치다	책을 헌정하다	________ a book
24	**outcome** [áutkʌ̀m]	명 결과, 성과	성공적인 결과	a successful ________
	result [rizʌ́lt]	명 결과, 결실	만족스러운 결실을 얻다	get a satisfying ________

반대의 뜻 반의어

No.	Word	Meaning	뜻	Phrase
25	**credible** [krédəbl]	형 믿을 수 있는, 확실한	믿을 수 있는 설명	a ________ explanation
	incredible [inkrédəbl]	형 믿을 수 없는, 엄청난, 놀라운	그 이야기는 믿기 어렵게 들린다.	The story sounds ________.
26	**formal** [fɔ́:rməl]	형 격식을 차린, 공식적인	공식 협정	a ________ agreement
	informal [infɔ́:rməl]	형 격식을 차리지 않는, 비공식의	비공식적 방문	an ________ visit
27	**proper** [prɑ́pər]	형 적절한, 올바른	옳고 적절한	right and ________
	improper [imprɑ́pər]	형 부적절한, 잘못된	부적절한 행동	________ behavior

TIP im(n)-이 앞에 붙으면 '부정, 반대' 또는 '안에, 위에'와 관련된 뜻.

No.	Word	Meaning	뜻	Phrase
28	**success** [səksés]	명 성공, 성과	성공의 비결	the key to ________
	failure [féiljər]	명 실패, 실수, 고장	실패로 끝나다	end in ________

살짝 바꾼 파생어

No.	Word	Meaning	뜻	Phrase
29	**apply** [əplái]	동 신청하다, 지원하다, 적용하다	보조금을 신청하다	________ for grants
	application [æpləkéiʃən]	명 신청서, 지원서, 적용	지원서를 제출하다	send in an ________

발음+짤강

No.	단어	발음	뜻	예시	표현
30	**collaborate**	[kəlǽbərèit]	동 협력하다, 협동하다	그 프로젝트에서 협력하다	______ on the project
	collaboration	[kəlæ̀bəréiʃən]	명 협력, 공동 작업	긴밀한 협력	close ______
31	**compete**	[kəmpíːt]	동 경쟁하다, 겨루다	서로 경쟁하다	______ with each other
	competition	[kɑ̀mpətíʃən]	명 경쟁, 시합, 경기	시합에서 이기다	win a ______

TIP 파생어 competitive(경쟁력 있는, 경쟁을 하는), competitor(경쟁자)

No.	단어	발음	뜻	예시	표현
32	**negotiate**	[nigóuʃièit]	동 협상하다, 성사시키다	연봉을 협상하다	______ salary
	negotiation	[nigòuʃiéiʃən]	명 협상, 협의	협상안을 마련하다	prepare a ______ agenda
33	**occupy**	[ɑ́kjupài]	동 차지하다, 점령하다	내 시간의 절반을 차지하다	______ half of my time
	occupation	[ɑ̀kjupéiʃən]	명 직업, 점유, 점령	직업을 고르다	choose an ______
34	**adjust**	[ədʒʌ́st]	동 조정하다, 적응하다	카메라를 조정하다	______ a camera
	adjustment	[ədʒʌ́stmənt]	명 조정, 적응	대학 생활에의 적응	______ to college life
35	**appoint**	[əpɔ́int]	동 정하다, 임명하다	위원을 임명하다	______ a committee member
	appointment	[əpɔ́intmənt]	명 약속, 예약, 임명	약속을 지키다	keep an ______
36	**complain**	[kəmpléin]	동 불평하다, 호소하다	그 소음에 관해 불평하다	______ about the noise
	complaint	[kəmpléint]	명 불만, 불평, 고발	불만을 처리하다	deal with ______s
37	**profession**	[prəféʃən]	명 (전문적) 직업, 직종	전도유망한 직업	an up-and-coming ______
	professional	[prəféʃənl]	형 직업의, 전문적인, 프로의	프로 야구	______ baseball
38	**special**	[spéʃəl]	형 특별한, 특수한	특별한 손님	a ______ guest
	specialize	[spéʃəlàiz]	동 전문화하다, 전공하다	컴퓨터 과학을 전공하다	______ in computer science

STEP 3

Review

A 예비 영단어 또는 우리말 뜻 쓰기

1. hospitality	________	9. 명성	________
2. contribute	________	10. (업무상의) 동료	________
3. accompany	________	11. 연속적인, 연이은	________
4. applicant	________	12. 협력하다, 협동하다	________
5. negotiate	________	13. 직업의, 전문적인, 프로의	________
6. special	________	14. 생각하다, 추측하다, 가정하다	________
7. pledge	________	15. 아는 사람, 친분, 지식	________
8. recruit	________	16. 실패, 실수, 고장	________

B 기본 덩어리 표현 완성하기

1. 주된 원인	the ________ cause	9. 동료들과 어울리다	________ with coworkers
2. 구직자	a job ________	10. 성공의 비결	the key to ________
3. 전쟁 반대 시위를 벌이다	________ against the war	11. 긍정적인 생각을 갖다	have a positive ________
4. 시합에서 이기다	win a ________	12. 그 임무를 수행하다	carry out the ________
5. 교대 근무자	________ workers	13. 긴밀한 협력	close ________
6. 불만을 처리하다	deal with ________s	14. 쾌활하고 사교적인 기질	cheerful and ________ temper
7. 비공식적 방문	an ________ visit	15. 지원서를 제출하다	send in an ________
8. 교사 자격증을 취득하다	earn a teaching ________	16. 컴퓨터 과학을 전공하다	________ in computer science

▶ 정답 p. 191

C 내신 기출 유형 밑줄 친 단어와 의미가 같은 표현 고르기

선택지 단어 뜻 쓰며 더블 체크!

1. He sought an occupation as a lawyer.

   ① a career ② a mission ③ an opinion ④ a negotiation

2. Our growth is the natural outcome of our passion to deliver good services.

   ① fame ② result ③ profession ④ invitation

3. She has devoted her life to studying chimpanzees and protecting the environment.

   ① complained ② dedicated ③ supposed ④ competed

4. Newly introduced cars can read speed signs and adjust their driving speed for safety.

   ① adopt ② appoint ③ adapt ④ apply

D 수능 기출 유형 문맥상 알맞은 단어 고르기

1. (1) A large group can be slow to [adapt / adopt] to change.

   (2) The baby was [adapted / adopted] by a family.

2. (1) She complimented Jack on the [successful / successive] completion of the project.

   (2) He hopes that he will be able to secure three [successful / successive] gold medals in the four Olympic Games.

3. I met him on my way home by a(n) [credible / incredible] chance.

4. They were out of control and engaged in some [improper / proper] behavior.

5. When people have an [adjustment / appointment], they are usually on time.

DAY 04 성격/태도

STEP 1

Single Words

군더더기 없이 핵심에 집중

No.	Word	Meaning	Example (Korean)	Example (English)
01 ★★★	**attention** [ətén∫ən]	명 주의, 집중, 관심	세심한 주의를 기울이다	pay close ____________
			대중의 관심	public ____________
02 ★★☆	**consistent** [kənsístənt]	형 한결같은, 일관된, 일치하는	한결같은 행동	____________ action
			일관된 의견	a ____________ opinion
03 ★★★	**bother** [báðər]	동 괴롭히다, 귀찮게 하다, 걱정하다 명 골칫거리, 귀찮은 일	나를 귀찮게 하지 마.	Don't ____________ me.
			귀찮아!	What a ____________!
04 ★★★	**desperate** [déspərət]	형 자포자기한, 절망적인, 필사적인	절망적이다	feel ____________
			필사적으로 시도하다	make a ____________ attempt
05 ★★★	**eager** [í:gər]	형 열망하는, 열렬한, 열심인	성공을 열망하는	____________ for success
			열렬한 관중들	____________ crowds
06 ★★★	**genuine** [dʒénjuin]	형 성실한, 진실한, 진짜의	성실히 노력하다	make a ____________ effort
			진짜 다이아몬드	a ____________ diamond
07 ★★☆	**arrogant** [ǽrəgənt]	형 오만한, 거만한	그는 매우 오만하다.	He is so ____________.
			거만한 어조	an ____________ tone
08 ★★☆	**humble** [hʌ́mbl]	형 겸손한, 초라한, 소박한	겸손하게	in a ____________ way
			초라한 배경	a ____________ background
09 ★★★	**aggressive** [əgrésiv]	형 공격적인, 적극적인	공격적이 되다	become ____________
			TIP '적극적인'이라는 뜻으로 쓸 때에는 긍정적인 의미를 지님.	
10 ★★★	**sincere** [sinsíər]	형 진지한, 진실한, 진심 어린	진지한 소망	____________ desire
			진심 어린 충고를 하다	offer ____________ advice

공부한 날 1회 | 월 일 2회 | 월 일 3회 | 월 일

11 ★★★ **awkward** [ɔ́:kwərd]
형 어색한, 곤란한, 불편한

어색한 움직임	an ______ movement
곤란한 질문을 하다	ask ______ questions

12 ★★☆ **thoughtful** [θɔ́:tfəl]
형 사려 깊은, 친절한, 생각에 잠긴

사려 깊은 행동	a ______ act
그는 생각에 잠겨 있는 듯했다.	He looked ______.

13 ★★☆ **modest** [mádist]
형 겸손한, 얌전한, 수수한

말투가 겸손한	______ in one's speech
수수한 드레스	a ______ dress

14 ★★☆ **frank** [fræŋk]
형 솔직한

네게 솔직하게 말하면	to be ______ with you

TIP 종종 남을 불편하게 만들 수 있을 정도로 '노골적인'이라는 뜻으로도 쓰임.

15 ★☆☆ **timid** [tímid]
형 소심한, 겁이 많은

소심한 사람	a ______ person
천성이 겁이 많은	______ by nature

16 ★★★ **harsh** [hɑ:rʃ]
형 냉혹한, 가혹한, 혹독한

인생의 냉혹한 현실	the ______ realities of life
혹독한 겨울	a ______ winter

17 ★☆☆ **mischief** [místʃif]
명 (악의 없는) 장난, 장난기

장난치다	get into ______
장난기가 가득한 눈	eyes full of ______

18 ★★☆ **tease** [ti:z]
동 놀리다, 괴롭히다, 귀찮게 조르다

그를 항상 놀리다	______ him all the time
그 강아지를 괴롭히다	______ the dog

19 ★★★ **ridiculous** [ridíkjələs]
형 웃기는, 터무니없는

터무니없는 생각	a ______ idea

TIP d 뒤의 i에 강세가 오는 것에 유의.

20 ★★☆ **subtle** [sʌ́tl]
형 미묘한, 예민한, 섬세한

미묘한 차이	a ______ difference
섬세한 기술	______ skill

STEP 2
Word Pairs
관련어 '쌍'으로 암기

알쏭달쏭 혼동어

No.	Word	Meaning	Korean phrase	English phrase
21	**bold** [bould]	형 용감한, 대담한	대담한 결정을 내리다	make a ________ decision
	bald [bɔ:ld]	형 대머리의, 단도직입적인, 노골적인	머리가 대머리인 남자	a ________-headed man
22	**jealous** [dʒéləs]	형 질투하는, 시기하는	질투하게 되다	grow ________
	zealous [zéləs]	형 열성적인, 열심인	열성적인 학생	a ________ student

반대의 뜻 반의어

No.	Word	Meaning	Korean phrase	English phrase
23	**careful** [kέərfəl]	형 조심스러운, 세심한	차를 조심해!	Be ________ of the traffic!
	careless [kέərlis]	형 부주의한, 경솔한	경솔한 발언	a ________ remark
24	**encourage** [inkə́:ridʒ]	동 격려하다, 장려하다	아이들이 책을 더 읽도록 격려하다	________ kids to read more
	discourage [diskə́:ridʒ]	동 막다, 낙담시키다	실패에 낙담한	________d by failure

TIP 어원 en(…을 주다)+courage(용기)=encourage(용기를 북돋우다)
dis(반대)+courage(용기)=discourage(용기를 잃게 하다)

No.	Word	Meaning	Korean phrase	English phrase
25	**feminine** [fémənin]	형 여성스러운, 여자의	여성스러운 스타일	a ________ look
	masculine [mǽskjulin]	형 남자다운, 남성의	남자다운 목소리	a ________ voice
26	**patient** [péiʃənt]	형 인내심이 있는 명 환자	인내심이 있는 선생님	a ________ teacher
	impatient [impéiʃənt]	형 참을성 없는, 초조한	초조한 기분으로	in an ________ mood
27	**polite** [pəláit]	형 예의 바른, 정중한	그녀는 언제나 예의 바르다.	She is always ________.
	impolite [impəláit]	형 무례한, 실례되는	무례한 답장	an ________ reply

살짝 바꾼 파생어

No.	Word	Meaning	Korean phrase	English phrase
28	**endure** [indjúər]	동 견디다, 참다	고통을 견디다	________ pain
	endurance [indjúərəns]	명 인내(력), 참을성	놀라운 인내력을 보여 주다	show great ________
29	**resist** [rizíst]	동 저항하다, 반대하다	압력에 저항하다	________ pressure
	resistance [rizístəns]	명 저항, 반대	완강한 저항	stubborn ________

No.	Word	Meaning	Example (Korean)	Example (English)
30	**indifferent** [indífərənt]	형 무관심한	다른 사람들에게 무관심한	______ to other people
	indifference [indífərəns]	명 무관심, 냉담	완전한 무관심	complete ______
31	**reliable** [riláiəbl]	형 신뢰할 수 있는	신뢰할 수 있는 출처	a ______ source
	reliance [riláiəns]	명 신뢰, 신용, 의존	높은 신뢰도	a high degree of ______

TIP -a(e)nce는 동사나 -a(e)nt로 끝나는 형용사에 붙어 '행위, 상태' 등을 뜻하는 명사로 만듦. reliance는 동사 rely(신뢰하다)에 -ance가 붙은 형태.

No.	Word	Meaning	Example (Korean)	Example (English)
32	**generous** [dʒénərəs]	형 관대한, 너그러운	너그러운 성질	a ______ nature
	generosity [dʒènərásəti]	명 관용, 아량	관용을 보이다	demonstrate ______
33	**vain** [vein]	형 허영심이 강한, 헛된, 소용없는	헛된 희망	a ______ hope
	vanity [vǽnəti]	명 허영심, 자만심, 헛됨	허영심에 들떠서	driven by ______
34	**cruel** [krú:əl]	형 잔인한, 잔혹한	잔인한 행동	a ______ behavior
	cruelty [krú:əlti]	명 잔인함, 학대	동물 학대	______ to animals
35	**tend** [tend]	동 경향이 있다, 돌보다	실수하는 경향이 있다	______ to make mistakes
	tendency [téndənsi]	명 성향, 기질, 경향	일을 미루는 성향	the ______ to put off tasks
36	**oppose** [əpóuz]	동 반대하다, 겨루다	끝까지 반대하다	______ to the end
	opposite [ápəzit]	형 정반대의, 반대쪽의 명 반대(되는 것), 반의어	도로 반대편	the ______ side of the road
37	**persuade** [pərswéid]	동 설득하다	그녀의 동료들을 설득하다	______ her colleagues
	persuasive [pərswéisiv]	형 설득력 있는	설득력 있는 글(논설문)	______ writing
38	**deliberate**	[dilíbərət] 형 고의의, 계획적인, 신중한 [dilíbərèit] 동 심사숙고하다	고의적인 장난	______ mischief
	deliberately [dilíbərətli]	부 고의로, 일부러, 신중하게	일부러 거짓말하다	lie ______

STEP 3
Review

A 예비 영단어 또는 우리말 뜻 쓰기

1. awkward	______	9. 오만한, 거만한	______
2. zealous	______	10. 사려 깊은, 친절한, 생각에 잠긴	______
3. reliance	______	11. 웃기는, 터무니없는	______
4. deliberately	______	12. 미묘한, 예민한, 섬세한	______
5. cruel	______	13. 무관심한	______
6. indifference	______	14. 여성스러운, 여자의	______
7. polite	______	15. 솔직한	______
8. tendency	______	16. 주의, 집중, 관심	______

B 기본 덩어리 표현 완성하기

1. 놀라운 인내력을 보여 주다	show great ______	9. 인생의 냉혹한 현실	the ______ realities of life
2. 장난치다	get into ______	10. 동물 학대	______ to animals
3. 경솔한 발언	a ______ remark	11. 실패에 낙담한	______d by failure
4. 공격적이 되다	become ______	12. 도로 반대편	the ______ side of the road
5. 설득력 있는 글	______ writing	13. 인내심이 있는 선생님	a ______ teacher
6. 완강한 저항	stubborn ______	14. 실수하는 경향이 있다	______ to make mistakes
7. 무례한 답장	an ______ reply	15. 허영심에 들떠서	driven by ______
8. 천성이 겁이 많은	______ by nature	16. 관용을 보이다	demonstrate ______

▶ 정답 p. 191

C 내신 기출 유형 밑줄 친 단어와 의미가 같은 표현 고르기

선택지 단어 뜻 쓰며 더블 체크!

1. Only sincere compliments can make people feel great.

   ① consistent ② desperate ③ genuine ④ generous

2. They are determined to resist pressure to change the law.

   ① tend ② oppose ③ persuade ④ endure

3. Don't bother your pet dog or cat when it is eating or sleeping.

   ① discourage ② tease ③ deliberate ④ encourage

4. Modest people do not hold their heads high, even when they stand at the top of their fields.

   ① Arrogant ② Subtle ③ Humble ④ Aggressive

D 수능 기출 유형 문맥상 알맞은 단어 고르기

1. (1) He started going [bald / bold] in his thirties.
   (2) Her [bald / bold] manner of speaking gained public attention.

2. (1) They are [jealous / zealous] workers for a charity.
   (2) The beautiful sea nymph Galatea runs away after the [jealous / zealous] cyclops Polyphemus kills her lover Acis.

3. According to a survey, fast food culture makes people [impatient / patient] and careless.

4. What can be done to stop such [reliable / ridiculous] accidents from happening again?

5. They are so [eager / indifferent] to learn that they cross the river even in bad weather to go to school.

DAY 05 감정/생각

STEP 1

Single Words

군더더기 없이 핵심에 집중

01 ★★★	**delight** [diláit]	명 기쁨, 즐거움 동 매우 기뻐하다, 즐기다	내 인생의 기쁨	the ________ of my life
			음악을 즐기다	________ in music
02 ★☆☆	**compassion** [kəmpǽʃən]	명 연민, 동정심	연민을 느끼다	feel ________
			환자에 대한 동정심	________ for the sick
03 ★★★	**thankful** [θǽŋkfəl]	형 감사하는, 고맙게 생각하는	살아 있음에 감사하는	________ to be alive
			네 도움을 고맙게 생각하는	________ for your help
04 ★★★	**despair** [dispέər]	명 절망, 좌절 동 절망하다, 단념하다, 체념하다	절망에 빠지다	fall into ________
			성공을 단념하다	________ of succeeding
05 ★★☆	**envious** [énviəs]	형 부러워하는, 시기하는	부러워하는 눈초리	an ________ look
			그의 형을 시기하는	________ of his brother
06 ★★★	**depressed** [diprést]	형 우울한, 의기소침한, 불경기의, 침체된	매우 우울한	deeply ________
			TIP 파생어 depress(낙담시키다, 불경기로 만들다), depression(우울, 불경기)	
07 ★★★	**ashamed** [əʃéimd]	형 부끄러운, 창피한, 수치스러운	나는 내 실수가 부끄럽다.	I'm ________ of my mistake.
			스스로 창피함을 느끼다	feel ________ of oneself
08 ★★★	**frightened** [fráitnd]	형 겁먹은, 무서워하는	겁먹은 아이	a ________ child
			어둠을 무서워하는	________ of the dark
09 ★☆☆	**startle** [stá:rtl]	동 깜짝 놀라게 하다, 소스라치다	세상을 깜짝 놀라게 하다	________ the world
			그 소리를 듣고 소스라치는	________d by the noise
10 ★★☆	**frown** [fraun]	동 눈살을 찌푸리다 명 언짢은 얼굴, 화난 기색	불만으로 눈살을 찌푸리다	________ with displeasure
			매우 언짢은 얼굴	a deep ________

발음+짤강

공부한 날 1회 | 월 일 2회 | 월 일 3회 | 월 일

11 ★★★	**frustrated** [frʌ́strèitid]	형 좌절한, 낙담한	좌절된 욕구들	______ desires
			낙담하지 마라.	Don't be ______.
12 ★★☆	**fury** [fjúəri]	명 분노, 격분	분노에 가득 차 있는	filled with ______
			걷잡을 수 없는 격분	blind ______
13 ★★★	**anger** [ǽŋgər]	명 화, 분노 동 화나게 하다	화가 나서	in ______
			TIP	anger는 일반적인 분노를 나타내고 fury는 자제심을 잃을 정도로 격렬한 분노를 가리킴.
14 ★★★	**miserable** [mízərəbl]	형 비참한, 불행한	비참한 최후를 맞다	die a ______ death
			삶을 불행하게 만들다	make life ______
15 ★★★	**hatred** [héitrid]	명 증오, 혐오감	그의 목소리에 담긴 두려움과 증오	fear and ______ in his voice
			TIP	hatred는 특정한 사람이나 사물에 관해 개인적이고 구체적인 증오를 나타낼 때 쓰며 일반적으로는 hate(증오, 혐오)를 씀.
16 ★☆☆	**nasty** [nǽsti]	형 못된, 고약한, 더러운, 불쾌한	성격이 고약하다	have a ______ temper
			악취	a ______ smell
17 ★★☆	**offend** [əfénd]	동 기분을 상하게 하다, 불쾌하게 하다, 위반하다	나는 그의 말에 기분이 상한다.	I'm ______ed by his words.
			규칙을 위반하다	______ against the rules
18 ★★☆	**reluctant** [rilʌ́ktənt]	형 꺼리는, 마지못한, 주저하는	대답하기를 꺼리는	______ to answer
			마지못해 하는 동의	______ agreement
19 ★★★	**suffer** [sʌ́fər]	동 시달리다, 고통 받다, (불쾌한 일을) 겪다, 당하다	굶주림에 시달리다	______ from hunger
			공격을 당하다	______ an attack
20 ★★☆	**weird** [wiərd]	형 기묘한, 별난, 섬뜩한	기묘한 꿈	a ______ dream
			섬뜩한 이야기를 말하다	tell a ______ story

DAY 05 | 감정/생각

STEP 2
Word Pairs
관련어 '쌍'으로 암기

알쏭달쏭 혼동어

No.	Word	Meaning	예문 뜻	Phrase
21	**sensitive** [sénsətiv]	형 세심한, 예민한	세심하고 배려하는 사람	a ______ and caring person
	sensible [sénsəbl]	형 분별 있는, 현명한	그것은 매우 현명한 생각이다.	That's a very ______ idea.
22	**empathy** [émpəθi]	명 공감, 감정 이입	공감의 가치	the value of ______
	sympathy [símpəθi]	명 동정, 연민	어려운 사람들을 동정하다	have ______ for the poor

TIP pathy는 '감정'이라는 뜻. e.g. anti**pathy**(반감), tele**pathy**(텔레파시)

비슷한 뜻 유의어

No.	Word	Meaning	예문 뜻	Phrase
23	**naive** [nɑːíːv]	형 순진한, 천진난만한	천진난만한 질문을 하다	ask a ______ question
	innocent [ínəsənt]	형 순진한, 무죄인	순진한 어린 아이	an ______ young child

반대의 뜻 반의어

No.	Word	Meaning	예문 뜻	Phrase
24	**optimistic** [ɑ̀ptəmístik]	형 낙관적인	미래를 낙관하는	______ about the future
	pessimistic [pèsəmístik]	형 비관적인	비관적인 견해	a ______ view
25	**willing** [wíliŋ]	형 기꺼이 하는, 자발적인	자발적인 지원자	a ______ volunteer
	unwilling [ʌnwíliŋ]	형 꺼리는, 마지못해 하는	그녀는 그렇게 하기를 꺼린다.	She is ______ to do so.

살짝 바뀐 파생어

No.	Word	Meaning	예문 뜻	Phrase
26	**assume** [əsúːm]	동 가정하다, 떠맡다, (어떠한 태도를) 취하다	공격적인 태세를 취하다	______ the offensive
	assumption [əsʌ́mpʃən]	명 가정, 추정	일반적인 가정을 하다	make a common ______
27	**reflect** [riflékt]	동 곰곰이 생각하다, 반영하다, 반사하다	내 단점을 곰곰이 생각하다	______ on my faults
	reflection [riflékʃən]	명 심사숙고, 반영, 반성	자기반성	self-______
28	**tolerate** [tálərèit]	동 참다, 견디다	무례한 행동을 참다	______ rude behavior
	tolerance [tálərəns]	명 관용, 아량, 내성	넓은 아량을 보이지 않다	show less ______
29	**embarrass** [imbǽrəs]	동 난처하게 하다, 부끄럽게 하다	언제나 나를 난처하게 하다	______ me all the time
	embarrassment [imbǽrəsmənt]	명 당황, 곤혹, 쑥스러움	당황하여 얼굴이 붉어지다	turn red with ______

30	**anxious** [ǽŋkʃəs]	형 불안한, 갈망하는	불안해 보이다	seem to be ________
	anxiety [æŋzáiəti]	명 불안, 걱정, 열망	불안에 떨다	shake with ________
31	**regret** [rigrét]	동 후회하다 명 유감, 후회	뼈저리게 후회하다	________ bitterly
	regretful [rigrétfəl]	형 유감인, 후회하는	유감스러워 하는 표정	a ________ look
32	**resent** [rizént]	동 분개하다, 불쾌하게 생각하다	그 사실에 분개하다	________ the fact
	resentful [rizéntfəl]	형 분개하는, 억울해 하는	그들은 분개하고 화나 있다.	They are ________ and angry.

TIP -ful은 명사나 동사, 형용사의 끝에 붙어 '…의 경향이 있는, …의 성질을 가진'이라는 의미를 만듦.

33	**humiliate** [hju:mílièit]	동 굴욕감을 주다, 창피를 주다	동료들에게 창피를 당한	________d by colleagues
	humiliating [hju:mílièitiŋ]	형 굴욕적인, 창피한, 면목 없는	가장 굴욕적인 날	the most ________ day
34	**fascinate** [fǽsənèit]	동 매료시키다, 사로잡다	전 세계를 매료시키다	________ the whole world
	fascinating [fǽsənèitiŋ]	형 매력적인, 흥미진진한	매력적인 주제	a ________ subject
35	**astonish** [əstániʃ]	동 깜짝 놀라게 하다	모두를 깜짝 놀라게 하다	________ everybody
	astonished [əstániʃt]	형 깜짝 놀란	그 소식에 깜짝 놀란	________ at the news
36	**irritate** [írətèit]	동 짜증나게 하다, 거슬리다	몹시 짜증나게 하다	________ greatly
	irritated [íritèitid]	형 짜증이 난, 화가 난	그것에 관해 몹시 화나다	get very ________ about it
37	**express** [iksprés]	동 (감정·의견 등을) 표현하다, 말하다	자신을 표현할 기회	a chance to ________ oneself
	expressive [iksprésiv]	형 (생각·감정 등을) 나타내는, 의미심장한	의미심장한 말	________ words
38	**extreme** [ikstríːm]	형 극도의, 극심한	극도의 압박	________ pressure
	extremely [ikstríːmli]	부 극도로, 매우	극도로 불안한	________ anxious

STEP 3
Review

A 예비 영단어 또는 우리말 뜻 쓰기

1. thankful ______________
2. sensible ______________
3. compassion ______________
4. depressed ______________
5. nasty ______________
6. ashamed ______________
7. frustrated ______________
8. empathy ______________
9. 눈살을 찌푸리다; 언짢은 얼굴 ______________
10. 증오, 혐오감 ______________
11. 곰곰이 생각하다, 반영하다 ______________
12. 비참한, 불행한 ______________
13. 기묘한, 별난, 섬뜩한 ______________
14. 관용, 아량, 내성 ______________
15. 부러워하는, 시기하는 ______________
16. 매력적인, 흥미진진한 ______________

B 기본 덩어리 표현 완성하기

1. 불안에 떨다 shake with ______________
2. 전 세계를 매료시키다 ______________ the whole world
3. 자기반성 self-______________
4. 미래를 낙관하는 ______________ about the future
5. 어둠을 무서워하는 ______________ of the dark
6. 굶주림에 시달리다 ______________ from hunger
7. 일반적인 가정을 하다 make a common ______________
8. 의미심장한 말 ______________ words
9. 천진난만한 질문을 하다 ask a ______________ question
10. 규칙을 위반하다 ______________ against the rules
11. 뼈저리게 후회하다 ______________ bitterly
12. 악취 a ______________ smell
13. 당황하여 얼굴이 붉어지다 turn red with ______________
14. 가장 굴욕적인 날 the most ______________ day
15. 극도로 불안한 ______________ anxious
16. 걷잡을 수 없는 격분 blind ______________

▶ 정답 p. 192

C 내신 기출 유형 밑줄 친 단어와 의미가 같은 표현 고르기

선택지 단어 뜻 쓰며 더블 체크!

1. I did not mean to embarrass you there.

   ① tolerate ______ ② humiliate ______ ③ assume ______ ④ express ______

2. He offended everyone with his bad manners.

   ① irritated ______ ② despaired of ______ ③ fascinated ______ ④ delighted ______

3. Some great masters of modern art astonish the whole world by boasting of their special talents.

   ① anger ______ ② suffer ______ ③ frown ______ ④ startle ______

4. Some people are reluctant to go to the hospital for a check-up because they think it is a waste of time and costly.

   ① innocent ______ ② regretful ______ ③ unwilling ______ ④ resentful ______

D 수능 기출 유형 문맥상 알맞은 단어 고르기

1. (1) She is very [sensible / sensitive] to other people's feelings.

   (2) Spending time wisely is [sensible / sensitive] behavior for life.

2. (1) He who is afraid to ask is [ashamed / astonished] of learning.

   (2) The kids were [ashamed / astonished] when they saw a rainbow for the first time.

3. I am quite [humiliating / willing] to do anything for you.

4. She won the game easily, to the [delight / despair] of all her fans.

5. A report said that people are more depressed and [anxious / envious] when they are around cigarette smoke.

DAY 06 능력

STEP 1

Single Words

군더더기 없이 핵심에 집중

01 ★★★	**capacity** [kəpǽsəti]	명 능력, 수용력, 용량	인생을 즐길 수 있는 능력	the ______ to enjoy life
			500명 수용 가능한 좌석	a seating ______ of 500
02 ★★★	**potential** [pətén∫əl]	형 잠재적인, 가능성이 있는 명 잠재력, 가능성	잠재적인 능력들을 개발하다	develop ______ abilities
			변화 가능성	the ______ for change
03 ★☆☆	**aptitude** [ǽptətjùːd]	명 소질, 적성	천부적인 소질	a natural ______
			적성검사를 받다	take an ______ test
04 ★★★	**genius** [dʒíːnjəs]	명 천재(성), 비범한 재능	음악에 천재성이 있다	have a ______ for music
			TIP genius는 남과 구별되는 비범하고 천부적인 재능을 나타내고 talent는 연습이나 훈련을 통해 더 갈고 닦는 재능이나 재주를 가리킴.	
05 ★☆☆	**triumph** [tráiəmf]	명 승리, 대성공 동 이기다	승리의 순간	a moment of ______
			오랜 경쟁자를 이기다	______ over an old rival
06 ★★★	**fundamental** [fʌ̀ndəméntl]	형 기초적인, 필수적인, 근본적인 명 기본, 근본, 원칙	기초 지식	______ knowledge
			자본주의의 원칙들	the ______s of capitalism
07 ★★★	**adequate** [ǽdikwət]	형 충분한, 적당한, 알맞은	충분한 수용력	the ______ capacity
			적당한 온도	an ______ temperature
08 ★★★	**aim** [eim]	동 목표로 하다, 겨냥하다 명 목적, 목표, 겨냥	가수가 되는 것을 목표로 하다	______ at being a singer
			TIP 유의어인 purpose는 aim보다 더 장기적이고 큰 목적을 나타낼 때 사용함.	
09 ★★★	**strategy** [strǽtidʒi]	명 계획, 전략	유용한 계획	a useful ______
			전략을 채택하다	adopt a ______
10 ★★★	**brilliant** [bríljənt]	형 뛰어난, 우수한, 훌륭한	가장 뛰어난 두뇌를 가진 사람	the most ______ mind
			훌륭한 해결책	a ______ solution

공부한 날 1회 | 월 일 2회 | 월 일 3회 | 월 일

11 ★★☆
thorough
[θə́ːrou]
형 철저한, 철두철미한, 빈틈없는

철저한 준비를 하다	make ______ preparations
모든 것에 철두철미한	______ in everything

12 ★★★
obstacle
[ɑ́bstəkl]
명 장애, 장애물

장애에 부딪히다	encounter ______s
장애물을 설치하다	place an ______

13 ★★★
overcome
[òuvərkə́m]
동 극복하다, 이겨내다

두려움을 빨리 이겨내다	quickly ______ fear

TIP over-가 앞에 붙으면 '넘어, 위에' 등과 관련된 뜻.
e.g. **over**head(머리 위에), **over**seas(해외의)

14 ★☆☆
spontaneously
[spantèiniəsli]
부 자발적으로, 자연스럽게

자발적으로 환호를 보내다	cheer ______
자연스럽게 발생하다	happen ______

15 ★★☆
dare
[dɛər]
동 …할 용기가 있다, 감히 …하다

한 마디 말할 용기가 없다	hardly ______ speak a word
그는 감히 불평하지 못했다.	He didn't ______ to complain.

16 ★★★
recall
[rikɔ́ːl]
동 상기하다, 회상하다, 기억해 내다
명 기억(력)

사건을 회상하다	______ the event

TIP 어원 re(다시)+call(부르다)='생각이나 기억 등을 다시 부르다'라는 뜻.

17 ★★★
advanced
[ədvǽnst]
형 고등의, 선진의, 진보한

고등 수학	______ mathematics
고도로 진보한	highly ______

18 ★★☆
expertise
[èkspəːrtíːz]
명 전문 지식(기술)

전문 분야	area of ______
그들의 전문 기술을 끌어내다	draw on their ______

19 ★★★
deserve
[dizə́ːrv]
동 받을 만하다, 누릴 자격이 있다

칭찬받을 만하다	______ to be praised
장학금을 받을 자격이 있다	______ a scholarship

20 ★★☆
fulfill
[fulfíl]
동 이루다, 실현하다, (의무·명령 등을) 수행하다

일생 동안의 꿈을 이루다	______ a lifelong dream
임무를 수행하다	______ one's duties

STEP 2

Word Pairs

관련어 '쌍'으로 암기

알쏭달쏭 혼동어

21	**confident** [kánfədənt]	형 자신 있는, 확신하는	긍정적이고 자신감 있는 분위기	a positive and ______ mood
	confidential [kὰnfədénʃəl]	형 비밀의, 기밀의	기밀 서류	______ documents
22	**defeat** [difíːt]	명 패배, 타도 / 동 패배시키다, 이기다	근소한 차이의 패배	a narrow ______
	defect [díːfekt] 명 결함, 약점 / [difékt] 동 (정당·국가 등을) 버리다		선천적 결함에 시달리다	suffer from a birth ______

비슷한 뜻 유의어

23	**accountable** [əkáuntəbl]	형 책임이 있는, 설명할 수 있는	진정으로 책임 있는 지도자	a truly ______ leader
	responsible [rispánsəbl]	형 책임(감)이 있는	그 사고에 책임이 있는	______ for the accident
24	**anticipation** [æntìsəpéiʃən]	명 기대, 예상, 예측	큰 기대를 가지고 기다리다	await with keen ______
	expectation [èkspektéiʃən]	명 기대, 예상, 가망	낙관적인 예상	the optimistic ______
25	**superb** [supə́ːrb]	형 훌륭한, 뛰어난, 최고의	뛰어난 기술	______ skill
	magnificent [mægnífəsnt]	형 웅장한, 멋진, 훌륭한	훌륭한 학문적 성과	a ______ work of scholarship

반대의 뜻 반의어

26	**competent** [kámpətənt]	형 유능한, 적격인	유능하고 믿을 만한 직원	a ______ and reliable staff
	incompetent [inkámpətənt]	형 무능한, 서투른	무능한 직원을 해고하다	fire ______ employees
27	**capable** [kéipəbl]	형 유능한, 할 수 있는	유능한 사람들을 발탁하다	select ______ people
	incapable [inkéipəbl]	형 무능한, 할 수 없는	일을 처리할 수 없는	______ of handling the job
28	**superior** [səpíəriər]	형 (…보다 더) 우수한, 상급의	디자인이 더 우수한	______ in design
	inferior [infíəriər]	형 (…보다 더) 열등한, 하급의	다른 사람들에게 열등감을 느끼다	feel ______ to others

TIP 끝에 붙은 -ior는 '…보다 더'라는 뜻.

살짝 바꾼 파생어

29	**acquire** [əkwáiər]	동 얻다, 습득하다, 획득하다	좋은 경험을 얻다	______ good experience
	acquisition [æ̀kwizíʃən]	명 습득, 획득, 인수	지식의 습득	______ of knowledge

발음+짤강

No.	단어	발음	뜻	예시 (우리말)	예시 (영어)
30	**expire**	[ikspáiər]	동 만료되다, 만기되다, 끝나다	그 서비스는 만료될 것이다.	The service will ______________.
	expiration	[èkspəréiʃən]	명 만료, 만기, 종결	만기일(유효 기간)	______________ date

TIP 시작하는 발음이 expire는 [i], expiration은 [e]인 것에 유의.

No.	단어	발음	뜻	예시 (우리말)	예시 (영어)
31	**limit**	[límit]	명 제한, 한계 / 동 제한하다	제한 시간	time ______________
	limitation	[lìmətéiʃən]	명 제한, 한계	자신의 한계를 알다	know one's ______________s
32	**qualify**	[kwáləfài]	동 자격을 주다, 자격을 얻다	의사 자격을 취득하다	______________ as a doctor
	qualification	[kwàləfikéiʃən]	명 자격(증), 자질, 능력	최소한의 가입 자격	the minimum entry ______________
33	**recognize**	[rékəgnàiz]	동 인정하다, 알아보다, 승인하다	그들의 공로를 인정하다	______________ their contributions
	recognition	[rèkəgníʃən]	명 인정, 표창, 인식	학문적인 인정을 받다	gain academic ______________
34	**achieve**	[ətʃíːv]	동 달성하다, 성취하다, 얻다	국제적 명성을 얻다	______________ international fame
	achievement	[ətʃíːvmənt]	명 업적, 성취, 달성	놀라운 성취	an extraordinary ______________
35	**acknowledge**	[æknálidʒ]	동 인정하다, 감사를 표하다	그는 패배를 인정했다.	He ______________d defeat.
	acknowledgement	[æknálidʒmənt]	명 인정, 감사	당신의 친절에 감사하며	in ______________ of your kindness
36	**assure**	[əʃúər]	동 보장하다, 장담하다, 확인하다	당신에게 성공을 보장하다	______________ you of success
	assurance	[əʃúərəns]	명 보증, 보장, 확신	보증하다	give an ______________
37	**aware**	[əwéər]	형 알고 있는, 의식이 높은	위험을 알고 있는	______________ of the dangers
	awareness	[əwéərnis]	명 인식, 의식	의식을 높이다	promote ______________
38	**attain**	[ətéin]	동 달성하다, 얻다, 이르다	책임 있는 지위에 이르다	______________ a responsible position
	attainable	[ətéinəbl]	형 달성할 수 있는	달성할 수 있는 목표	an ______________ goal

STEP 3

Review

A 예비 영단어 또는 우리말 뜻 쓰기

1. genius	______	9. 철저한, 철두철미한, 빈틈없는	______
2. anticipation	______	10. 자발적으로, 자연스럽게	______
3. overcome	______	11. …할 용기가 있다, 감히 …하다	______
4. deserve	______	12. 승리, 대성공; 이기다	______
5. recognize	______	13. 상기하다, 회상하다; 기억(력)	______
6. confident	______	14. 비밀의, 기밀의	______
7. inferior	______	15. 만료되다, 만기되다, 끝나다	______
8. magnificent	______	16. 자격을 주다, 자격을 얻다	______

B 기본 덩어리 표현 완성하기

1. 장애에 부딪히다	encounter ______ s	9. 위험을 알고 있는	______ of the dangers
2. 그들의 전문 기술을 끌어내다	draw on their ______	10. 전략을 채택하다	adopt a ______
3. 고도로 진보한	highly ______	11. 만기일	______ date
4. 잠재적인 능력들을 개발하다	develop ______ abilities	12. 500명 수용 가능한 좌석	a seating ______ of 500
5. 제한 시간	time ______	13. 임무를 수행하다	______ one's duties
6. 천부적인 소질	a natural ______	14. 근소한 차이의 패배	a narrow ______
7. 음악에 천재성이 있다	have a ______ for music	15. 칭찬받을 만하다	______ to be praised
8. 당신의 친절에 감사하며	in ______ of your kindness	16. 자본주의의 원칙들	the ______ s of capitalism

▶ 정답 p. 192

C 내신 기출 유형 밑줄 친 단어와 의미가 같은 표현 고르기

선택지 단어 뜻 쓰며 더블 체크!

1. Leaders need to be capable, determined, and visionary.

① attainable ② competent ③ potential ④ accountable

2. It is a majestic fortress, which has superb cultural and historical value.

① brilliant ② responsible ③ adequate ④ fundamental

3. Successful people know what they want and how to make plans to achieve their goals.

① aim ② acknowledge ③ attain ④ assure

4. Some people think that it is difficult to do a job because they lack the qualification.

① acquisition ② strategy ③ limitation ④ capacity

D 수능 기출 유형 문맥상 알맞은 단어 고르기

1. (1) The party faces [defeat / defect] in the election.
(2) Animals with an innate [defeat / defect] usually live only for a few days.

2. (1) Patient records are strictly [confident / confidential].
(2) The teacher wants the children to feel [confident / confidential] about asking questions when they do not understand.

3. The president was attacked as [incompetent / magnificent] to lead.

4. The eagle is known as the "king of birds" because it has a powerful body, sharp eyesight, and [inferior / superior] hunting skills.

5. People recognize World Ozone Day to bring public [assurance / awareness] of the ozone problem on September 16.

DAY 07 동작

STEP 1

Single Words

군더더기 없이 핵심에 집중

No.	Word	Meaning	Phrase (Korean)	Phrase (English)
01 ★★☆	**whisper** [hwíspər]	동 속삭이다, 귓속말을 하다 명 속삭임, 소문	그에게 귓속말을 하다	______ in his ear
			낮은 속삭임	a low ______
02 ★☆☆	**glare** [glɛər]	동 노려보다, 눈부시다 명 노려봄, 환한 빛	그를 노려보다	______ at him
			화난 눈초리	an angry ______
03 ★★☆	**sneeze** [sni:z]	동 재채기하다 명 재채기	재채기를 참다	hold a ______
			TIP 재채기를 하는 사람은 보통 Excuse me. 또는 Sorry.라고 말하고, 가까이 있는 사람은 Bless you!, God bless you! 등과 같이 응답함.	
04 ★★☆	**snore** [snɔ:r]	동 코를 골다 명 코 고는 소리	밤새도록 코를 골다	______ away the whole night
			시끄럽게 코 고는 소리	a loud ______
05 ★★★	**tear**	[tɛər] 동 찢다, 뜯다 명 찢어진 곳, 구멍 [tiər] 명 눈물	봉투를 뜯어 열다	______ the envelope open
			눈물을 자아내다	draw ______s
06 ★☆☆	**kneel** [ni:l]	동 무릎을 꿇다	꿇어앉다	______ down
			TIP 동사 변화형 kneel-knelt/kneeled-knelt/kneeled *cf.* knee(무릎)	
07 ★★☆	**crawl** [krɔ:l]	동 기다, 기어가다, 굽실거리다, 환심을 사다	네발로 기다	______ on hands and knees
			상사에게 굽실거리다	______ to the boss
08 ★★☆	**swift** [swift]	형 (움직임이) 빠른, 신속한	걸음이 빠른	______ of foot
			신속한 결정	a ______ decision
09 ★★★	**stare** [stɛər]	동 빤히 쳐다보다, 응시하다, 노려보다 명 응시	하늘을 응시하다	______ at the sky
			싸늘한 시선	an icy ______
10 ★★★	**yell** [jel]	동 소리 지르다, 고함치다 명 고함, 외침	격분해 소리 지르다	______ with fury
			기쁨의 외침	a ______ of delight

공부한 날 1회 | 월 일 2회 | 월 일 3회 | 월 일

No.	Word	Meaning	Example (Korean)	Example (English)
11 ★★★	**slight** [slait]	형 가냘픈, 호리호리한, 약간의 동 냉대하다, 무시하다	Roy는 호리호리한 체격이다.	Roy is of ________ build.
			손님을 냉대하다	________ a guest
12 ★☆☆	**creep** [kri:p]	동 살금살금 움직이다, 기다, 기어가다	계단을 살금살금 올라가다	________ up the stairs
			구멍에 기어 들어가다	________ into a hole
13 ★★☆	**scrub** [skrʌb]	동 문지르다, 닦다	페인트를 문질러 없애다	________ off paint
			부엌의 식탁을 닦다	________ the kitchen table
14 ★☆☆	**shed** [ʃed]	동 흘리다, 떨어뜨리다, (옷을) 벗다	눈물을 흘리다	________ tears
			재킷을 벗다	________ the jacket
15 ★★☆	**bind** [baind]	동 묶다, 감다	손과 발을 묶다	________ the hands and feet
			붕대로 다리를 감다	________ the leg with a bandage
16 ★★★	**slip** [slip]	동 미끄러지다, 살짝 들어가다(나오다)	빙판 위에서 미끄러지다	________ on the ice
			방에서 살짝 나오다	________ out of a room
17 ★★★	**escape** [iskéip]	동 탈출하다, 벗어나다, 피하다, 모면하다	불타는 차에서 탈출하다	________ from the burning car
			죽음을 면하다	________ death
18 ★★★	**drag** [dræg]	동 끌다, 끌고 가다, 늑장부리다	탁자를 끌고 가다	________ a table
			늑장부리지 마세요.	Don't ________ your feet.
19 ★★☆	**simultaneously** [sàiməltéiniəsli]	부 동시에, 일제히	동시에 그녀에게 말하다	speak to her ________
			TIP 혼동어 spontaneously(자발적으로, 자연스럽게)	
20 ★★★	**feature** [fí:tʃər]	명 특징, 특색, 이목구비, 얼굴	공통적인 특징	a common ________
			아름다운 이목구비	beautiful ________s

STEP 2

Word Pairs

관련어 '쌍'으로 암기

알쏭달쏭 혼동어

21	**beat** [bi:t]	동 때리다, 치다, 이기다	북을 치다	______ a drum
	bit [bit]	명 조금, 약간	아주 조금	a little ______
22	**leap** [li:p]	동 뛰다, 뛰어넘다 / 명 높이뛰기, 도약	개울을 뛰어넘다	______ over a stream
	reap [ri:p]	동 수확하다, 거두다	작물을 수확하다	______ a crop
23	**raise** [reiz]	동 올리다, 일으키다, 모으다	우물에서 물을 길어 올리다	______ water from a well
	rise [raiz]	동 오르다, 일어나다	의자에서 일어나다	______ from the chair

TIP 동사 변화형 ① raise-raised-raised ② rise-rose-risen

24	**yawn** [jɔ:n]	동 하품하다 / 명 하품	지루해져서 하품하다	get bored and ______
	yearn [jə:rn]	동 갈망하다, 동경하다	도시 생활을 동경하다	______ for city life

비슷한 뜻 유의어

25	**apparent** [əpǽrənt]	형 분명한, 뚜렷한	뚜렷한 이유가 없는	no ______ explanation
	obvious [ɑ́bviəs]	형 분명한, 명백한, 확실한	명백한 진리	an ______ truth
26	**glance** [glæns]	동 흘끗 보다, 대충 훑어보다 / 명 흘끗 보기	뒤를 흘끗 보다	______ back
	glimpse [glimps]	동 잠깐 보다, 언뜻 보다 / 명 잠깐 봄, 언뜻 보기	그녀를 언뜻 보다	catch a ______ of her
27	**shiver** [ʃívər]	동 (몸을) 떨다 / 명 전율, 오한	추위로 떨다	______ with cold
	tremble [trémbl]	동 (몸을) 떨다, 떨리다 / 명 떨림, 전율	공포스러운 전율	a ______ of fear
28	**sob** [sɑb]	동 흐느끼다, 흐느껴 울다	가슴이 터지도록 흐느껴 울다	______ one's heart out
	weep [wi:p]	동 울다, 눈물을 흘리다	동정하여 울다	______ in sympathy

반대의 뜻 반의어

29	**appear** [əpíər]	동 나타나다, 출연하다, …인 것 같다	불쑥 나타나다	______ unexpectedly
	disappear [dìsəpíər]	동 사라지다, 없어지다	말없이 사라지다	______ without a word

No.	Word	Meaning	Phrase (Korean)	Phrase (English)
30	**stable** [stéibl]	형 안정된, 착실한	안정된 위치	a ______ position
	unstable [ʌnstéibl]	형 불안정한, 변하기 쉬운	변하기 쉬운 날씨	______ weather
31	**cease** [siːs]	동 중지하다, 그만두다	갑자기 그만두다	______ abruptly
	ceaseless [síːslis]	형 끊임없는, 부단한	끊임없는 노력을 하다	make ______ effort

살짝 바꾼 파생어

No.	Word	Meaning	Phrase (Korean)	Phrase (English)
32	**distort** [distɔ́ːrt]	동 비틀다, 왜곡하다	그의 목소리를 변조하다	______ his voice
	distortion [distɔ́ːrʃən]	명 찌그러짐, 비틀림, 왜곡	사실 왜곡	a ______ of the facts
33	**eliminate** [ilímənèit]	동 없애다, 제거하다	완전히 없애다	______ entirely
	elimination [ilìmənéiʃən]	명 제거, 배제, 삭제	플라스틱 빨대 제거	the ______ of plastic straws
34	**hesitate** [hézətèit]	동 망설이다, 주저하다	선택을 두고 주저하다	______ over a choice
	hesitation [hèzətéiʃən]	명 망설임, 주저	망설임 없이 말하다	speak without ______
35	**persist** [pərsíst]	동 고집하다, 계속하다	그들의 의견을 고집하다	______ in their opinion
	persistence [pərsístəns]	명 고집, 집요함, 지속	집요하게	with ______
36	**applaud** [əplɔ́ːd]	동 박수치다, 칭찬하다	열렬히 박수치다	______ loudly
	applause [əplɔ́ːz]	명 박수	그를 박수로 맞이하다	receive him with ______
37	**caution** [kɔ́ːʃən]	명 경고, 주의, 조심 동 경고를 주다, 충고하다	각별한 주의	extreme ______
	cautious [kɔ́ːʃəs]	형 조심스러운, 신중한	신중한 낙관론	______ optimism
38	**vigor** [vígər]	명 활력, 활기, 기력	기력을 회복하다	regain one's ______
	vigorous [vígərəs]	형 활발한, 활기찬	활발한 운동	______ exercise

TIP -ous는 끝에 붙어 '…이 많은, …이 풍부한, …의 특징이 있는'이라는 뜻의 형용사를 만듦. cautious는 caution에서 -on을 빼고 -ous를 붙이는 것에 유의.

STEP 3

Review

A 예비 영단어 또는 우리말 뜻 쓰기

1. feature	________	9. 동시에, 일제히	________
2. glance	________	10. 귓속말을 하다; 속삭임	________
3. persistence	________	11. 끊임없는, 부단한	________
4. glimpse	________	12. 활발한, 활기찬	________
5. reap	________	13. 갈망하다, 동경하다	________
6. caution	________	14. 뛰어넘다; 높이뛰기, 도약	________
7. swift	________	15. 흘리다, 떨어뜨리다; (옷을) 벗다	________
8. slight	________	16. 불안정한, 변하기 쉬운	________

B 기본 덩어리 표현 완성하기

1. 페인트를 문질러 없애다	________ off paint	9. 완전히 없애다	________ entirely
2. 붕대로 다리를 감다	________ the leg with a bandage	10. 사실 왜곡	a ________ of the facts
3. 아주 조금	a little ________	11. 밤새도록 코를 골다	________ away the whole night
4. 기쁨의 외침	a ________ of delight	12. 망설임 없이 말하다	speak without ________
5. 그를 박수로 맞이하다	receive him with ________	13. 꿇어앉다	________ down
6. 재채기를 참다	hold a ________	14. 불타는 차에서 탈출하다	________ from the burning car
7. 봉투를 뜯어 열다	________ the envelope open	15. 방에서 살짝 나오다	________ out of a room
8. 말없이 사라지다	________ without a word	16. 탁자를 끌고 가다	________ a table

▶ 정답 p. 193

C 내신 기출 유형 밑줄 친 단어와 의미가 같은 표현 고르기

선택지 단어 뜻 쓰며 더블 체크!

1. He did not shout; he just <u>glared</u> at me silently.
   ① distorted ② ceased ③ stared ④ appeared

2. It is quite <u>obvious</u> that exercise promotes good health.
   ① stable ② cautious ③ apparent ④ ceaseless

3. In fact, <u>shivering</u> is the body's final action to keep its warmth.
   ① sobbing ② trembling ③ applauding ④ weeping

4. I remember a scene from the movie *Home Alone*, where a hairy tarantula <u>creeps</u> over the face of a thief.
   ① persists ② crawls ③ hesitates ④ kneels

D 수능 기출 유형 문맥상 알맞은 단어 고르기

1. (1) Look before you [leap / reap].
   (2) They will [leap / reap] the returns of all their hard work.

2. (1) It costs a [beat / bit] more than I wanted to spend.
   (2) She was trying to [beat / bit] dust out of the bedcover.

3. (1) Police said the brothers had a [slight / swift] acquaintance with Paul.
   (2) With the ease of buying and [slight / swift] delivery, online shopping has helped people save time and money.

4. Some people prefer going to bed early and getting up before the sun [raises / rises].

5. A new scientific report has shown smiling and frowning are contagious, just like [yawning / yearning].

DAY

08 심리

STEP 1

Single Words

군더더기 없이 핵심에 집중

01 ★★★	**psychology** [saikάlədʒi]	명 심리학, 심리 (상태)	색채 심리학	color ________
			TIP 파생어	psycho(정신병자), psychological(정신의, 심리적인), psychologist(심리학자)
02 ★★★	**mental** [méntl]	형 정신의, 마음의, 지능의, 지적인	정신 건강	________ health
			지적 능력 검사	a ________ ability test
03 ★★★	**ideal** [aidíːəl]	형 이상적인, 완벽한 명 이상, 이상형	이상적인 세상에서	in an ________ world
			이상을 실현하다	realize the ________
04 ★★☆	**illusion** [ilúːʒən]	명 환상, 환각, 오해, 착각	달콤한 환상	a sweet ________
			착각에 빠져 살다	live in an ________
05 ★★★	**conscious** [kάnʃəs]	형 의식하는, 자각하는, 의도적인	의식적으로 노력하다	make a ________ effort
			자신의 실수를 자각하는	________ of one's own mistake
06 ★★★	**comfort** [kʌ́mfərt]	명 위로, 위안, 안락, 편안 동 위로하다	위로의 말	words of ________
			그의 실패를 위로하다	________ him over his failure
07 ★★☆	**mature** [mətjúər]	형 성숙한, 어른스러운, 숙성한, 잘 익은	그의 나이에 비해 성숙한	________ for his age
			TIP 반의어	childish(어린애 같은, 유치한), immature(미숙한, 다 자라지 못한)
08 ★★☆	**uneasy** [ʌníːzi]	형 (마음이) 불안한, (사람·몸 등이) 불편한, 부자연스러운	약간 불안해지다	grow slightly ________
			부자연스러운 웃음	an ________ laugh
09 ★★★	**stress** [stres]	명 스트레스, 압박 동 스트레스를 받다(주다), 강조하다	스트레스를 해소하다	get rid of ________
			통합을 강조하다	________ unity
10 ★☆☆	**impulse** [ímpʌls]	명 충동, 충격, 자극	충동적으로 행동하다	act on ________
			사회적 충격	social ________

발음+짤강

공부한 날 1회 | 월 일 2회 | 월 일 3회 | 월 일

11 ★★★
burden
[bə́ːrdn]
명 부담, 짐
동 부담(짐)을 지우다

무거운 세금 부담	the heavy tax ______
그에게 지나치게 부담을 지우다	overly ______ him

12 ★★☆
undergo
[ʌ̀ndərgóu]
동 경험하다, 겪다, 당하다

완전한 변화를 겪다	______ a complete change

TIP 동사 변화형 undergo-underwent-undergone

13 ★★☆
manipulate
[mənípjulèit]
동 (교묘하게) 조종하다, 다루다, 조작하다

대중을 조종하다	______ the public
주가를 조작하다	______ stock prices

14 ★☆☆
arouse
[əráuz]
동 (느낌·태도 등을) 불러일으키다, (잠에서) 깨우다

증오심을 불러일으키다	______ hatred
여동생을 잠에서 깨우다	______ my sister from sleep

15 ★★★
confuse
[kənfjúːz]
동 혼란시키다, 혼란스럽게 하다, 혼동하다

독자를 혼란스럽게 하다	______ the readers
두 그림을 혼동하다	______ the two paintings

16 ★☆☆
intuition
[ìntjuːíʃən]
명 직관(력), 직감

직관적으로 알다	know by ______
직감에 의존하다	depend on ______

17 ★★★
ignore
[ignɔ́ːr]
동 무시하다, 못 본 체하다

모든 징후를 무시하다	______ all the signs
일부러 못 본 체하다	deliberately ______

18 ★☆☆
phobia
[fóubiə]
명 공포증, 혐오증

공포증을 이겨내다	overcome a ______

TIP 고대 그리스 신화 속 Phobos(포보스, 공포의 신)에서 유래.

19 ★★★
complex
[kəmpléks] 형 복잡한, 까다로운
[kámpleks] 명 콤플렉스, 강박 관념

복잡한 문제	a ______ problem
열등감 콤플렉스	inferiority ______

20 ★★☆
neglect
[niglékt]
동 무시하다, 얕보다, 소홀히 하다

다른 사람들의 충고를 무시하다	______ others' advice
그녀의 직무를 소홀히 하다	______ her duties

STEP 2
Word Pairs
관련어 '쌍'으로 암기

알쏭달쏭 혼동어

No.	Word	Meaning	Korean phrase	Phrase
21	**terrible** [térəbl]	형 끔찍한, 무서운, 극심한	극심한 고통 속에 있는	in ______ pain
	terrific [tərífik]	형 굉장한, 훌륭한, 무서운	굉장한 잠재력	______ potential
22	**wonder** [wʌ́ndər]	동 궁금해하다, 놀라다 명 놀라움, 감탄	그것이 사실인지 궁금해하다	______ if it is true
	wander [wάndər]	동 돌아다니다, 배회하다	거리를 배회하다	______ along the street

비슷한 뜻 유의어

No.	Word	Meaning	Korean phrase	Phrase
23	**suffering** [sʌ́fəriŋ]	명 고통, 괴로움	고통을 인내하다	endure the ______
	hardship [hά:rdʃip]	명 어려움, 곤란	어려움에서 벗어나다	escape from ______
24	**state** [steit]	명 상태, 국가, 정부	인사불성 상태	a ______ of unconsciousness
	condition [kəndíʃən]	명 상태, 상황, 조건	나는 몸 상태가 조금 좋지 않다.	I'm a bit out of ______.

TIP 몸의 상태나 컨디션을 물을 때에는 How are you feeling?, How do you feel? 등으로 표현.

반대의 뜻 반의어

No.	Word	Meaning	Korean phrase	Phrase
25	**satisfaction** [sætisfǽkʃən]	명 만족(감), 충족	소비자 만족도 조사	a customer ______ survey
	dissatisfaction [dìssætisfǽkʃən]	명 불만, 불평	불만을 표명하다	voice ______

살짝 바꾼 파생어

No.	Word	Meaning	Korean phrase	Phrase
26	**incline** [inkláin]	동 경향이 있다, 기울다, 경사지다	한쪽으로 기울다	______ to one side
	inclination [ìnklənéiʃən]	명 경향, 성향, 경사	다른 사람들을 돕고자 하는 성향	an ______ to help others
27	**meditate** [médətèit]	동 명상하다, 숙고하다, 계획하다	몇 시간 동안 명상하다	______ for hours
	meditation [mèdətéiʃən]	명 명상, 숙고	면밀히 숙고하여	in careful ______
28	**motivate** [móutəvèit]	동 동기를 부여하다	학생들에게 동기를 부여하다	______ the students
	motivation [mòutəvéiʃən]	명 동기 부여, 욕구, 자극	생산성 향상을 위한 동기 부여	a ______ to raise productivity
29	**tempt** [tempt]	동 유혹하다, 끌어들이다, 유도하다	그를 잘못된 길로 끌어들이다	______ him into wrong ways
	temptation [temptéiʃən]	명 유혹, 충동	거짓말하고 싶은 유혹을 참다	resist the ______ to tell a lie

30	**hostile** [hástl]	형 적대적인, 적군의	적대적인 눈초리	a ____________ glare
	hostility [hastíləti]	명 적개심, 적의, 반감	다른 사람들의 반감을 불러일으키다	arouse the ____________ of others
31	**consult** [kənsʌ́lt]	동 상담하다, 상의하다	변호사와 상담하다	____________ a lawyer
	consultant [kənsʌ́ltənt]	명 상담가, 자문 위원, 컨설턴트	심리 상담가	a psychology ____________
32	**intend** [inténd]	동 의도하다, 생각하다, 계획하다	그 계획을 시행하려고 생각하다	____________ to carry out the plan
	intent [intént]	명 의도, 의향, 목적 형 열중하는	선의로	with good ____________
33	**pursue** [pərsúː]	동 추구하다, 계속하다, 뒤쫓다	이상을 추구하다	____________ an ideal
	pursuit [pərsúːt]	명 추구, 추격	행복 추구	the ____________ of happiness
34	**relieve** [rilíːv]	동 (불쾌감·고통 등을) 덜어 주다, 안심시키다	스트레스를 덜어 주다	____________ stress
	relief [rilíːf]	명 안도, 안심	안도의 한숨	sigh of ____________
35	**dread** [dred]	동 몹시 무서워하다, 두려워하다	밖에 나가는 것을 몹시 무서워하다	____________ going outdoors
	dreadful [drédfəl]	형 무서운, 끔찍한	끔찍한 사고	a ____________ accident
36	**overwhelm** [òuvərhwélm]	동 압도하다, 휩싸다, 제압하다	공포에 압도되어	____________ed by terror
	overwhelming [òuvərhwélmiŋ]	형 압도적인, 엄청난	엄청난 아름다움	____________ beauty
37	**concern** [kənsə́ːrn]	동 걱정하다, 관계가 있다 명 관심, 염려, 관계	그녀에 대한 진실된 염려	genuine ____________ for her
	concerned [kənsə́ːrnd]	형 걱정하는, 관심을 가진, 관련된	그 계획과 관련된 사람들	people ____________ in the plan
38	**compel** [kəmpél]	동 강요하다, 억지로 시키다	사람들에게 참여를 강요하다	____________ people to join
	compulsory [kəmpʌ́lsəri]	형 강제적인, 의무적인, 필수의	의무 교육	____________ education

TIP compel이 형용사가 될 때 e가 u로 바뀌며 compulsory가 되는 것에 유의.

STEP 3

Review

A 예비 영단어 또는 우리말 뜻 쓰기

1. manipulate ______________
2. incline ______________
3. arouse ______________
4. terrific ______________
5. impulse ______________
6. wander ______________
7. hostile ______________
8. meditate ______________
9. 환상, 환각, 오해, 착각 ______________
10. 직관(력), 직감 ______________
11. 명상, 숙고 ______________
12. 의식하는, 자각하는, 의도적인 ______________
13. 압도적인, 엄청난 ______________
14. 유혹하다, 끌어들이다 ______________
15. (불쾌감·고통 등을) 덜어 주다 ______________
16. 강제적인, 의무적인, 필수의 ______________

B 기본 덩어리 표현 완성하기

1. 완전한 변화를 겪다 ______________ a complete change
2. 다른 사람들을 돕고자 하는 성향 an ______________ to help others
3. 공포증을 이겨내다 overcome a ______________
4. 두 그림을 혼동하다 ______________ the two paintings
5. 밖에 나가는 것을 몹시 무서워하다 ______________ going outdoors
6. 안도의 한숨 sigh of ______________
7. 색채 심리학 color ______________
8. 이상적인 세상에서 in an ______________ world
9. 행복 추구 the ______________ of happiness
10. 선의로 with good ______________
11. 학생들에게 동기를 부여하다 ______________ the students
12. 변호사와 상담하다 ______________ a lawyer
13. 정신 건강 ______________ health
14. 약간 불안해지다 grow slightly ______________
15. 그 계획과 관련된 사람들 people ______________ in the plan
16. 열등감 콤플렉스 inferiority ______________

▶ 정답 p. 193

C 내신 기출 유형 밑줄 친 단어와 의미가 같은 표현 고르기

선택지 단어 뜻 쓰며 더블 체크!

1. You may learn an important lesson from your hardship.

① phobia ② hostility ③ burden ④ illusion

2. People can hide behind the veil of Internet anonymity and do terrible things.

① dreadful ② compulsory ③ mature ④ conscious

3. Our brains handle stress and pleasure similarly for their heightened states.

① comforts ② complexes ③ concerns ④ conditions

4. Though the humanities are fundamental to all studies, they have been neglected by many intellectuals and scholars.

① pursued ② consulted ③ overwhelmed ④ ignored

D 수능 기출 유형 문맥상 알맞은 단어 고르기

1. (1) We finished later than we had [inclined / intended].
   (2) I am [inclined / intended] to be very careful when handling and preparing foods.

2. (1) [Meditation / Temptation] quiets the mind and builds better awareness of the world.
   (2) In the movie, the character spends a lot of time trying to resist the [meditation / temptation] of the ring.

3. (1) I [wandered / wondered] around until it started to rain, then took a subway back to my house.
   (2) Have you ever [wandered / wondered] which painter's work is the most expensive of all time?

4. [Dissatisfaction / Satisfaction] with appearance creates an unhealthy self-image that leads to eating problems and mental conditions like depression.

5. Those who use their senses pay attention to reality, facts, and details, while those who use [impulse / intuition] rely more on imagination and patterns.

DAY 09 대인 관계

STEP 1
Single Words
군더더기 없이 핵심에 집중

No.	Word	Meaning	Example (Korean)	Example (English)
01 ★★★	**favorable** [féivərəbl]	형 호의적인, 유리한, 알맞은	호의적인 답변을 받다	receive a ________ answer
			유리한 입장	a ________ position
02 ★★★	**companion** [kəmpǽnjən]	명 동료, 친구, 동반자	여행 친구	a traveling ________
			평생의 동반자	a ________ for life
03 ★★☆	**bond** [bɑnd]	명 유대, 결속, 채권	형제간의 유대	a ________ between brothers
			국채 가격	government ________ prices
04 ★☆☆	**inseparable** [insépərəbl]	형 뗄 수 없는, 분리할 수 없는, 불가분의	그들은 뗄 수 없는 친구들이다.	They are ________ friends.
			불가분의 관계	an ________ relation
05 ★★★	**consider** [kənsídər]	동 고려하다, 여기다, 생각하다	그녀의 감정을 고려하다	________ her feelings
			그를 영웅으로 여기다	________ him a hero
06 ★★★	**recommend** [rèkəménd]	동 추천하다, 권하다	아들에게 책을 추천하다	________ the book to my son
			TIP	advise(충고하다, 권하다)는 recommend보다 뜻이 더 강하고, 흔히 높은 위치에 있는 사람이 아랫사람에게 충고할 때 씀.
07 ★★★	**accept** [əksépt]	동 받아들이다, 수용하다, 인정하다	그녀의 초대를 받아들이다	________ her invitation
			차이를 인정하다	________ the difference
08 ★★☆	**soothe** [su:ð]	동 달래다, 진정시키다, (통증 등을) 완화시키다	우는 아이를 달래다	________ a crying child
			통증을 완화시키다	________ the pain
09 ★★☆	**conceal** [kənsí:l]	동 감추다, 숨기다	약점을 감추다	________ a defect
			그의 신분을 숨기다	________ his identity
10 ★★★	**support** [səpɔ́:rt]	동 지지하다, 옹호하다, 부양하다 명 지지, 지원	그 의견을 지지하다	________ the opinion
			동료들의 지원	________ from my colleagues

공부한 날 1회 | 월 일 2회 | 월 일 3회 | 월 일

11 ★★★ **separate** [sépərèit] 동 떼어놓다, 분리하다, 갈라지다 / [sépərət] 형 분리된, 별개의

두 그룹을 떼어놓다	______ the two groups

TIP 어원 se(나누어)+parate(준비하다)='결합되어 있던 것을 따로 나누어 분리하다'라는 뜻.

12 ★★☆ **insult** [insʌ́lt] 동 모욕하다, 창피를 주다 / [ínsʌlt] 명 모욕

인간의 존엄성을 모욕하다	______ human dignity
모욕을 참다	tolerate an ______

13 ★★★ **opponent** [əpóunənt] 명 (게임·논쟁 등의) 상대, 반대자

상대를 이기다	defeat the ______
그 법안의 반대자	an ______ to the bill

14 ★★☆ **prejudice** [prédʒədis] 명 편견, 선입견 / 동 편견을 갖게 하다

널리 퍼진 편견	widespread ______

TIP 어원 pre(미리)+judice(판단)='미리 판단해 갖는 생각'이라는 뜻.

15 ★★☆ **interfere** [ìntərfíər] 동 방해하다, 간섭하다

그의 공부를 방해하다	______ with his studies
사적인 일에 간섭하다	______ in a private matter

16 ★★★ **involve** [inválv] 동 참여시키다, 연루시키다, 포함하다, 필요로 하다

정치에 참여하다	get ______d in politics
오랜 시간을 필요로 하다	______ long hours

17 ★★☆ **distract** [distrǽkt] 동 산만하게 하다, (주의를) 딴 데로 돌리다

그에게 말을 걸어서 산만하게 하다	______ him with talk
대중의 주의를 딴 데로 돌리다	______ public attention

18 ★☆☆ **deceit** [disí:t] 명 속임수, 사기, 기만

속임수를 쓰다	practice ______
사기에 능한 사람	a master of ______

19 ★★★ **pretend** [priténd] 동 …인 척하다, 가장하다

유식한 척하다	______ to know a lot
무고함을 가장하다	______ to be innocent

20 ★★★ **obey** [oubéi] 동 따르다, 준수하다, 복종하다

법을 따르다	______ the law
마지못해 복종하다	______ reluctantly

DAY 09 | 대인 관계

STEP 2

Word Pairs

관련어 '쌍'으로 암기

일쏭달쏭 혼동어

No.	Word	Meaning	Example (Korean)	Example (English)
21	**considerate** [kənsídərət]	형 사려 깊은, 배려하는	정중하고 사려 깊은	polite and ________
	considerable [kənsídərəbl]	형 상당한, 중요한	상당히 많은 사람들	a ________ number of people
22	**ensure** [inʃúər]	동 반드시 …하게 하다, 보장하다	평화를 보장하다	________ peace
	insure [inʃúər]	동 보험에 들다	화재 보험에 들다	________ against fire

TIP ensure는 계획된 일이 반드시 일어나도록 확실하게 준비하는 것을 나타내고 insure는 만약의 사태 또는 재정적 손실에 대비하여 보험 계약을 맺는 것을 가리킴.

No.	Word	Meaning	Example (Korean)	Example (English)
23	**loyal** [lɔ́iəl]	형 충실한, 충성스러운	충실한 지지자	a ________ supporter
	royal [rɔ́iəl]	형 왕실의, 왕의	왕의 혈통을 이어받다	have ________ blood
24	**solitary** [sálətèri]	형 혼자의, 고독한, 외딴	혼자 여행하다	make a ________ journey
	solidity [səlídəti]	명 고체성, 견고함, 확실함	건물의 견고함	the ________ of a building

반대의 뜻 반의어

No.	Word	Meaning	Example (Korean)	Example (English)
25	**include** [inklú:d]	동 포함하다, 포함시키다	그를 우리 모임에 포함시키다	________ him in our group
	exclude [iksklú:d]	동 제외하다, 배제하다	Carl을 회의에서 배제하다	________ Carl from a meeting
26	**dependent** [dipéndənt]	형 의존하는, 의지하는	부모님에게 의존하는	________ on their parents
	independent [ìndipéndənt]	형 독립된, 자립적인	신생 독립국들	newly ________ countries

살짝 바꾼 파생어

No.	Word	Meaning	Example (Korean)	Example (English)
27	**attribute** [ətríbju:t]	동 …의 탓으로 보다, …의 덕분으로 돌리다	그의 성공을 행운 덕분으로 돌리다	________ his success to luck
	attribution [ӕtrəbjú:ʃən]	명 (원인 따위를 …에) 돌리기, 귀속, 권한	권한 없이 사용하지 마세요!	Don't use without ________!
28	**isolate** [áisəlèit]	동 분리하다, 격리하다, 고립시키다	Jenny를 그녀의 가족과 격리하다	________ Jenny from her family
	isolation [àisəléiʃən]	명 고립, 분리, 격리	국제적인 고립	international ________
29	**argue** [á:rgju:]	동 다투다, 주장하다	서로 다투다	________ with each other
	argument [á:rgjumənt]	명 논쟁, 말다툼, 주장	열띤 논쟁을 하다	have a heated ________

30	**treat** [triːt]	동 대하다, 다루다, 치료하다	사람들을 친절하게 대하다	____________ people kindly
	treatment [tríːtmənt]	명 대우, 처우, 치료	호의적인 대우	favorable ____________
31	**selfish** [sélfiʃ]	형 이기적인, 제멋대로의	이기적인 행동	____________ behavior
	selfishness [sélfiʃnis]	명 이기심, 이기주의	부끄러운 줄 모르는 이기심	shameless ____________

TIP 어원 self(자신)+ish(성질 · 성향)='자기 중심적인 성향의'라는 뜻.

32	**decent** [díːsnt]	형 예의 바른, 점잖은, 괜찮은	그들을 예의 바르게 대하다	treat them in a ____________ way
	decency [díːsnsi]	명 체면, 품위, 예절	체면상	for ____________'s sake
33	**intimate** [íntəmət]	형 친밀한, 친한	이웃과 친밀한	____________ with neighbors
	intimacy [íntəməsi]	명 친밀, 친교, 절친함	친교를 끊다	break off the ____________
34	**ignorant** [ígnərənt]	형 무지한, 무식한	그 원인에 대해 무지한	____________ of the causes
	ignorance [ígnərəns]	명 무지, 무식	무지로 인해 실수하다	a mistake due to ____________
35	**courtesy** [kə́ːrtəsi]	명 공손함, 예의, 호의	예의가 없다	lack ____________
	courteous [kə́ːrtiəs]	형 공손한, 정중한	공손한 답장	a ____________ reply
36	**respect** [rispékt]	명 존경심, 경의, 존중 동 존경하다, 존중하다	깊은 상호 존중	a deep mutual ____________
	respectable [rispéktəbl]	형 존경할 만한, 훌륭한, 점잖은	그는 존경할 만한 사람이다.	He is a ____________ person.
37	**relative** [rélətiv]	형 상대적인, 비교적인, 관련된 명 친척	그 사건과 관련된 사실들	the facts ____________ to the case
	relatively [rélətivli]	부 상대적으로, 비교적	상대적으로 덜 알려진	____________ unknown
38	**apology** [əpáləd͡ʒi]	명 사과, 양해를 구하는 말	공개 사과	a public ____________
	apologize [əpáləd͡ʒàiz]	동 사과하다	정중히 사과하다	____________ sincerely

STEP 3

Review

A 예비 영단어 또는 우리말 뜻 쓰기

1. bond	______	9. 속임수, 사기, 기만	______
2. inseparable	______	10. 방해하다, 간섭하다	______
3. involve	______	11. 감추다, 숨기다	______
4. treat	______	12. 모욕하다, 창피를 주다; 모욕	______
5. courteous	______	13. (원인 따위를 …에) 돌리기, 귀속	______
6. ignorance	______	14. 친밀한, 친한	______
7. relatively	______	15. 따르다, 준수하다, 복종하다	______
8. considerate	______	16. 고체성, 견고함, 확실함	______

B 기본 덩어리 표현 완성하기

1. 차이를 인정하다	______ the difference	9. 열띤 논쟁을 하다	have a heated ______
2. 유식한 척하다	______ to know a lot	10. 그에게 말을 걸어서 산만하게 하다	______ him with talk
3. 평화를 보장하다	______ peace	11. 충실한 지지자	a ______ supporter
4. 신생 독립국들	newly ______ countries	12. 이기적인 행동	______ behavior
5. 널리 퍼진 편견	widespread ______	13. 그 원인에 대해 무지한	______ of the causes
6. 국제적인 고립	international ______	14. 평생의 동반자	a ______ for life
7. 호의적인 답변을 받다	receive a ______ answer	15. 우는 아이를 달래다	______ a crying child
8. 체면상	for ______'s sake	16. 깊은 상호 존중	a deep mutual ______

▶ 정답 p. 194

C 내신 기출 유형 밑줄 친 단어와 의미가 같은 표현 고르기

선택지 단어 뜻 쓰며 더블 체크!

1. It is impossible to separate belief from emotion.

① insult ② isolate ③ interfere ④ insure

2. Public decency is as important as freedom of expression.

① apology ② intimacy ③ treatment ④ courtesy

3. I will try to achieve my goals and attain respectable achievements in the future.

① decent ② relative ③ dependent ④ royal

4. Ice fishing involves drilling through the ice of a lake or pond, dropping bait into the water, and waiting for a fish to snatch it.

① considers ② includes ③ recommends ④ supports

D 수능 기출 유형 문맥상 알맞은 단어 고르기

1. (1) Building a good relationship needs [considerable / considerate] time.
   (2) Everyone respects a person who is kind, polite, and [considerable / considerate].

2. (1) The player who defeats the [companion / opponent] will be the winner.
   (2) Many people now call their animals "[companion / opponent] animals" instead of "pets."

3. (1) They were [arguing / attributing] about who gets to sit next to the window.
   (2) These abnormal weather conditions are [argued / attributed] to the inflow of dry and hot winds.

4. Her music has extraordinary depth and [solidity / solitary].

5. No single food should be considered totally bad, and it is wrong to try to completely [exclude / include] fat from your diet.

DAY 10 통신/의사소통

STEP 1

Single Words

군더더기 없이 핵심에 집중

01 ★☆☆	**interactive** [ìntəræ̂ktiv]	형 쌍방향의, 상호적인, 대화식의	쌍방향 비디오 게임들	____________ video games
			대화식 토론	an ____________ discussion
02 ★★★	**approach** [əpróutʃ]	동 (특정한 의도로) 말을 걸다, 다가가다, 접근하다 명 접근(법), 입구, 진입로	조언을 위해 내게 말을 걸다	____________ me for advice
			공원 진입로	an ____________ to a park
03 ★☆☆	**multitask** [mʌltitæ̂sk]	동 동시에 여러 가지 일을 처리하다	동시에 여러 가지 일을 처리할 수 있는 능력	an ability to ____________
			TIP multi-가 앞에 붙으면 '여러 가지, 다양한'과 관련된 뜻. e.g. **multi**cultural(다문화의), **multi**lateral(다각적인, 다국간의)	
04 ★★★	**access** [ǽkses]	명 접근(권), 접속 동 (컴퓨터에) 접속하다	정보 접근권	____________ to information
			인터넷에 접속하다	____________ the Internet
05 ★★★	**address** [ədrés]	명 주소, 연설 동 (우편물을) 보내다, 연설하다	웹 사이트 주소	a website ____________
			회의에서 연설하다	____________ a meeting
06 ★★★	**function** [fʌ́ŋkʃən]	명 기능, 역할 동 (제대로) 기능하다, 작용하다	스피커의 모든 기능	all the ____________s of a speaker
			정상적으로 작용하기 시작하다	begin to ____________ normally
07 ★★☆	**satellite** [sǽtəlàit]	명 (인공)위성, 위성 장치, (행성의) 위성	기상 위성을 띄우다	launch a weather ____________
			달은 위성이다.	The moon is a ____________.
08 ★★☆	**correspond** [kɔ̀:rəspɑ́nd]	동 일치하다, 교신하다, 서신을 주고받다	현실과 일치하다	____________ to the reality
			서로 교신하다	____________ with each other
09 ★★★	**mobile** [móubəl]	형 이동식의, 움직이기 쉬운 명 휴대전화	이동식 상점	a ____________ shop
			휴대전화 네트워크	____________ networks
10 ★★☆	**portable** [pɔ́:rtəbl]	형 휴대용의, 간편한 명 휴대용 제품	휴대용 TV	a ____________ TV
			TIP port는 '운반하다'라는 뜻. e.g. **port**er(짐꾼), re**port**(보도하다, 알리다)	

공부한 날 1회 | 월 일 2회 | 월 일 3회 | 월 일

11 ★★★ **debate** [dibéit]
명 토론, 논쟁
동 토론하다, 논쟁하다

폭넓은 토론	a wide ________
반대편과 토론하다	________ with opponents

12 ★★★ **mention** [ménʃən]
동 (간단히) 말하다, 언급하다
명 언급, 거론

앞에서 말한 대로	as ________ed above
특별히 언급될 자격이 있다	deserve special ________

13 ★★★ **conference** [kánfərəns]
명 회의, 회담, 협의

국제회의에 참석하다	attend an international ________

TIP 보통 여러 날에 걸쳐 대규모로 개최되는 것을 의미.

14 ★★★ **regard** [rigá:rd]
동 여기다, 간주하다, 보다
명 관심, 고려, 존경

그녀 스스로 천재라고 여기다	________ herself as a genius
안전에 관한 관심 부족	a lack of ________ for safety

15 ★★★ **blame** [bleim]
동 비난하다, …의 탓으로 돌리다
명 비난, 책임, 탓

다른 이의 탓으로 돌리다	________ someone else
패배에 대한 책임	the ________ for the defeat

16 ★☆☆ **refrain** [rifréin]
동 자제하다, 삼가다

발언을 자제하다	________ from speaking out
흡연을 삼가다	________ from smoking

17 ★★★ **consequence** [kánsəkwèns]
명 결과

필연적인 결과	an inevitable ________
당연한 결과로서	as a natural ________

18 ★★★ **impact**
[ímpækt] 명 영향, 충격, 효과
[impǽkt] 동 영향을 주다

부정적인 영향	negative ________
소비에 영향을 주다	________ on spending

19 ★★★ **nonsense** [nánsens]
명 터무니 없는 말(생각), 허튼소리

완전 허튼소리를 하다	talk complete ________

TIP 어원 non(없음)+sense(의미)

20 ★☆☆ **clash** [klæʃ]
동 충돌하다, 맞붙다, 대립하다
명 충돌, 대립

경찰과 충돌하다	________ with police
의견의 대립	the ________ of opinions

DAY 10 | 통신/의사소통

STEP 2
Word Pairs
관련어 '쌍'으로 암기

알쏭달쏭 혼동어

21	**contact** [kάntækt]	명 연락, 접촉	친구들과 연락을 유지하다	keep in ______ with friends
	contract [kάntrækt] 명 / [kəntrǽkt] 동	명 계약(서) / 동 계약하다	계약서에 서명하다	sign a ______
22	**stationary** [stéiʃənèri]	형 정지된, 고정된	화면의 정지된 영상	a ______ image on the screen
	stationery [stéiʃənèri]	명 문방구, 문구류	문구점을 열다	open a ______ store

비슷한 뜻 유의어

23	**appealing** [əpíːliŋ]	형 매력적인, 흥미로운, 호소하는	매력적인 미소	an ______ smile
	attractive [ətrǽktiv]	형 매력적인, 마음을 끄는	매력적인 용모를 갖다	have ______ features

반대의 뜻 반의어

24	**attach** [ətǽtʃ]	동 붙이다, 첨부하다, 소속시키다	파일을 첨부하다	______ a file
	detach [ditǽtʃ]	동 떼다, 떼어내다, 분리하다	쿠폰을 떼다	______ the coupon

TIP tach는 '들러붙게 하다'라는 뜻.

25	**approve** [əprúːv]	동 승인하다, 찬성하다	그 계획을 승인하다	______ the plan
	veto [víːtou]	동 거부하다, 반대하다 / 명 거부권	거부권을 행사하다	exercise a ______

살짝 바꾼 파생어

26	**communicate** [kəmjúːnəkèit]	동 의사소통하다	이메일로 의사소통하다	______ by e-mail
	communication [kəmjùːnəkéiʃən]	명 연락, 의사소통, 통신	통신망	a ______ network
27	**indicate** [índikèit]	동 나타내다, 가리키다	동의를 나타내다	______ agreement
	indication [ìndikéiʃən]	명 지시, 표시, 징후	지진의 징후	the ______ of an earthquake
28	**interact** [ìntərǽkt]	동 소통하다, 교류하다	사용자들과 소통하다	______ with the users
	interaction [ìntərǽkʃən]	명 상호 작용, 교류	사회적 상호 작용	social ______
29	**interrupt** [ìntərʌ́pt]	동 방해하다, 중단시키다	네 통화를 방해하다	______ your phone call
	interruption [ìntərʌ́pʃən]	명 방해, 중단, 중지	우천으로 인한 중단	rain ______

30	**object** [əbdʒékt] / [ábdʒikt]	동 반대하다 / 명 물건, 물체, 목적	새로운 계획에 반대하다	________ to a new plan
	objection [əbdʒékʃən]	명 이의, 반대	이의를 제기하다	raise an ________
31	**reject** [ridʒékt]	동 거절하다, 거부하다	제의를 거절하다	________ an offer
	rejection [ridʒékʃən]	명 거절, 거부	거절에 대한 두려움	a fear of ________
32	**transmit** [trænsmít]	동 전송하다, 전달하다, 전염시키다	무선으로 전송하다	wirelessly ________
	transmission [trænsmíʃən]	명 전송, 방송, 전파	데이터 전송 속도	data ________ speed
33	**propose** [prəpóuz]	동 제안하다, 제시하다, 청혼하다	변화를 제안하다	________ changes
	proposal [prəpóuzəl]	명 제안, 청혼	제안을 거부하다	reject a ________
34	**refuse** [rifjúːz]	동 거부하다, 거절하다	합의를 거부하다	________ a settlement
	refusal [rifjúːzəl]	명 거부, 거절	완강한 거절	stubborn ________

TIP -al은 동사 끝에 붙어 '…하는 일, …하고 있는 상태'라는 뜻의 명사를 만듦.

35	**utter** [ʌ́tər]	동 말하다, (소리를) 내다	비명 소리를 내다	________ a cry
	utterance [ʌ́tərəns]	명 발성, 발언, 표현함	내 문제를 표현하다	give ________ to my trouble
36	**deny** [dinái]	동 부인하다, 부정하다, 거부하다	소문을 부인하다	________ a rumor
	denial [dináiəl]	명 부인, 부정, 거부	회원 가입 거부	________ of a membership
37	**respond** [rispánd]	동 대답하다, 반응하다	질문에 대답하다	________ to a question
	response [rispáns]	명 대답, 응답, 반응	호의적인 반응을 얻다	get a favorable ________
38	**inform** [infɔ́ːrm]	동 알리다, 통지하다, 정보를 제공하다	그녀에게 그 소식을 알리다	________ her of the news
	informative [infɔ́ːrmətiv]	형 유익한, 정보를 제공하는	유익한 다큐멘터리	an ________ documentary

STEP 3
Review

A 예비 영단어 또는 우리말 뜻 쓰기

1. correspond ______________
2. deny ______________
3. refrain ______________
4. contract ______________
5. veto ______________
6. object ______________
7. stationary ______________
8. interruption ______________
9. 발성, 발언, 표현함 ______________
10. 문방구, 문구류 ______________
11. 결과 ______________
12. 언급하다; 언급, 거론 ______________
13. 지시, 표시, 징후 ______________
14. 전송, 방송, 전파 ______________
15. (인공)위성, 위성 장치 ______________
16. 여기다, 보다; 관심, 존경 ______________

B 기본 덩어리 표현 완성하기

1. 이동식 상점 a ______________ shop
2. 정상적으로 작용하기 시작하다 begin to ______________ normally
3. 인터넷에 접속하다 ______________ the Internet
4. 의견의 대립 the ______________ of opinions
5. 무선으로 전송하다 wirelessly ______________
6. 소비에 영향을 주다 ______________ on spending
7. 비명 소리를 내다 ______________ a cry
8. 완전 허튼 소리를 하다 talk complete ______________
9. 호의적인 반응을 얻다 get a favorable ______________
10. 그 계획을 승인하다 ______________ the plan
11. 국제회의에 참석하다 attend an international ______________
12. 대화식 토론 an ______________ discussion
13. 변화를 제안하다 ______________ changes
14. 휴대용 TV a ______________ TV
15. 반대편과 토론하다 ______________ with opponents
16. 회의에서 연설하다 ______________ a meeting

▶ 정답 p. 194

C 내신 기출 유형 밑줄 친 단어와 의미가 같은 표현 고르기

선택지 단어 뜻 쓰며 더블 체크!

1. The approach to the palace was guarded by soldiers.

① access ② address ③ communication ④ proposal

2. A president has the ability to propose legislation and veto bills.

① interrupt ② refuse ③ debate ④ blame

3. We can help you to achieve your ambitious goals and offer attractive career options.

① interactive ② careful ③ informative ④ appealing

4. Students need to know how to communicate their opinion in many different settings.

① reject ② transmit ③ attach ④ function

D 수능 기출 유형 문맥상 알맞은 단어 고르기

1. (1) [Attach / Detach] files to your e-mail messages and transmit them to the cloud.
   (2) I wanted to [attach / detach] myself from the reality of these terrible events.

2. (1) The service [interaction / interruption] was the main inconvenience for our customers.
   (2) Online shopping is convenient, but it cuts away at human [interaction / interruption].

3. (1) This new product has been designed for both [stationary / stationery] and mobile use.
   (2) Some characters in famous webtoons are often used to make goods such as [stationary / stationery].

4. The disease is transmitted through casual [contact / contract].

5. [Refrain / Respond] from sending information like your credit card number by text.

DAY 11 대중 매체

STEP 1
Single Words
군더더기 없이 핵심에 집중

No.	Word	Meaning	Phrase (Korean)	Phrase (English)
01 ★★★	**article** [ɑ́:rtikl]	명 (신문·잡지 등의) 글, 기사, 물품, 조항	뉴스 기사	a newspaper ________
			진품	a genuine ________
02 ★★★	**headline** [hédlàin]	명 표제, 머리기사, 주요 뉴스	1면 머리기사	a front-page ________
			주요 뉴스가 되다	make ________s
03 ★☆☆	**editorial** [èdətɔ́:riəl]	명 사설 형 사설의, 편집의	사설을 싣다	run an ________
			편집부 직원	the ________ staff
04 ★★★	**issue** [íʃu:]	명 (정기 간행물의) 호, 쟁점, 문제 동 발행하다, 발부하다	그 잡지의 최신 호	the latest ________ of the magazine
			신분증을 발행하다	________ an identification card
05 ★★★	**press** [pres]	명 언론, 기자 동 누르다, 압력을 가하다	언론의 자유	freedom of the ________
			TIP 원래는 활자 미디어만을 지칭했지만, 지금은 방송 미디어에도 쓰임.	
06 ★★☆	**diminish** [dimíniʃ]	동 줄이다, 줄어들다, 약해지다	영향력을 줄이다	________ the impact
			속도가 줄어들다	________ in speed
07 ★★★	**advertise** [ǽdvərtàiz]	동 광고하다, 선전하다	신문에 광고하다	________ in a newspaper
			제품을 선전하다	________ products
08 ★☆☆	**slogan** [slóugən]	명 문구, 슬로건, 구호	광고 문구	an advertising ________
			구호를 외치다	shout ________s
09 ★★★	**broadcast** [brɔ́:dkæst]	동 방송하다, 방영하다 명 방송, 프로그램	행사를 라이브로 방송하다	________ the event live
			TIP 어원 broad(널리)+cast(던지다)='널리 퍼뜨리다'라는 의미에서 나온 뜻.	
10 ★★★	**entertain** [èntərtéin]	동 즐겁게 하다, 대접하다	모든 연령의 사람들을 즐겁게 하다	________ people of all ages
			집에서 내 친구들을 대접하다	________ my friends at home

공부한 날 1회 | 월 일 2회 | 월 일 3회 | 월 일

No.	Word	Meaning	Example (Korean)	Example (English)
11 ★★☆	**viewer** [vjúːər]	명 시청자, 관객	더 많은 시청자들을 끌어들이다	attract more ________s
			백만 관객에 이르다	reach 1 million ________s
12 ★★☆	**convey** [kənvéi]	동 전달하다, 전하다, 나르다	메시지를 전달하다	________ a message
			감정을 전하다	________ emotion
13 ★☆☆	**leak** [liːk]	동 새다, (비밀 등을) 누설하다 / 명 새는 곳, 누출, 누설	비밀 정보를 누설하다	________ secret information
			수도관의 새는 곳을 고치다	fix the ________ in the pipe
14 ★★★	**signal** [sígnəl]	명 신호, 징후 / 동 신호를 보내다, 알리다	TV 신호를 수신하다	receive TV ________s
			시작을 알리다	________ the start
15 ★★★	**spread** [spred]	동 퍼뜨리다, 펼치다 / 명 확산, 양면 기사(광고)	소문을 퍼뜨리다	________ rumors
			TIP 동사 변화형 spread-spread-spread (과거형과 과거분사형이 현재형과 동일한 것에 유의.)	
16 ★★☆	**extensive** [iksténsiv]	형 광범위한, 폭넓은, 대규모의	광범위한 뉴스 보도	an ________ news report
			폭넓은 지식을 쌓다	build ________ knowledge
17 ★★★	**affair** [əfέər]	명 사건, 일, 문제	그 사건을 다루다	deal with the ________
			회사의 공적인 일	company's public ________s
18 ★☆☆	**compelling** [kəmpéliŋ]	형 눈을 뗄 수 없는, 설득력 있는, 강제적인	눈을 뗄 수 없는 영화	a ________ movie
			설득력 있는 주장을 하다	offer a ________ argument
19 ★★☆	**lessen** [lésn]	동 완화하다, 감소하다, 줄이다	경쟁을 완화하다	________ competition
			근심을 줄이다	________ anxiety
20 ★★★	**union** [júːnjən]	명 연합, 조합, 결합	노동조합에 가입하다	join the labor ________
			TIP uni-가 앞에 붙으면 '하나, 혼자'와 관련된 뜻. e.g. **uni**fy(통일하다), **uni**que(유일무이한, 독특한)	

STEP 2

Word Pairs

관련어 '쌍'으로 암기

알쏭달쏭 혼동어

No.	Word	Meaning	Example (Korean)	Example
21	**affect** [əfékt]	동 영향을 미치다	TV 시청 시간에 영향을 미치다	________ TV viewing time
	effect [ifékt]	명 영향, 결과, 효과	광고의 영향	the ________ of advertisements
22	**brief** [bri:f]	형 짧은, 간단한 명 짧은 기사, 개요	짧은 뉴스 기사	a ________ news article
	grief [gri:f]	명 큰 슬픔, 비탄	절망적인 큰 슬픔	hopeless ________
23	**critical** [krítikəl]	형 비판적인, 결정적인	비판적인 연설	a ________ speech
	crucial [krú:ʃəl]	형 중대한, 결정적인	결정적인 순간을 기억하다	remember a ________ moment

비슷한 뜻 유의어

No.	Word	Meaning	Example (Korean)	Example
24	**enhance** [inhǽns]	동 향상시키다, 높이다	근로 조건을 향상시키다	________ working conditions
	boost [bu:st]	동 신장시키다, 북돋다	매출을 신장시키다	________ sales
25	**exclusively** [iksklú:sivli]	부 독점적으로, 오로지	오로지 어린이들을 위한 축제	the festival ________ for kids
	solely [sóulli]	부 오로지, 단독으로	단독으로 맞서다	compete ________
26	**expose** [ikspóuz]	동 폭로하다, 노출하다	진실을 폭로하다	________ the truths
	reveal [riví:l]	동 드러내다, 밝히다	비밀을 드러내다	________ a secret

살짝 바꾼 파생어

No.	Word	Meaning	Example (Korean)	Example
27	**illustrate** [íləstrèit]	동 삽화를 넣다, 설명하다	어린이 책에 삽화를 넣다	________ children's books
	illustration [ìləstréiʃən]	명 삽화, 실례	삽화를 그리다	draw an ________
28	**subscribe** [səbskráib]	동 구독하다, 가입하다	신문을 구독하다	________ to a newspaper
	subscription [səbskrípʃən]	명 구독(료), 기부금	구독을 취소하다	cancel a ________

TIP 어원 sub(밑에)+scribe(쓰다)='등록한다고 밑에 이름을 쓰다'라는 의미에서 나온 뜻.

No.	Word	Meaning	Example (Korean)	Example
29	**notify** [nóutəfài]	동 통지하다, 알리다	이메일로 지원자들에게 통지하다	________ applicants by e-mail
	notification [nòutəfikéiʃən]	명 통지, 알림, 신고	서면 통지를 받다	receive a written ________

30	**announce** [ənáuns]	동 알리다, 발표하다	인터뷰에서 알리다	______ in an interview
	announcement [ənáunsmənt]	명 발표, 공고	발표하다	make an ______
31	**column** [kάləm]	명 (신문·잡지 등의) 칼럼, 기둥	스포츠 칼럼	a sports ______
	columnist [kάləmnist]	명 칼럼니스트, 시사 평론가	신문 칼럼니스트로 일하다	work as a newspaper ______
32	**journal** [dʒə́ːrnl]	명 신문, 잡지, 일지	주간지	a weekly ______
	journalist [dʒə́ːrnəlist]	명 저널리스트, 기자	프리랜서 기자가 되다	become a freelance ______

TIP columnist는 '특정 사안에 관해 기고하는 전문가나 경험자'를 나타내고 journalist는 '언론인'을 가리킴.

33	**agency** [éidʒənsi]	명 대리점, 대행사, 단체	광고 대행사	an advertising ______
	agent [éidʒənt]	명 대리인	대리인을 고용하다	hire an ______
34	**criticize** [krítəsàiz]	동 비평하다, 비난하다	영화를 비평하다	______ a movie
	critic [krítik]	명 평론가, 비평가	음악 평론가	a music ______
35	**emphasize** [émfəsàiz]	동 강조하다, 역설하다	중요성을 강조하다	______ the importance
	emphasis [émfəsis]	명 강조, 중점	줄거리에 중점을 두다	put ______ on the story
36	**medium** [míːdiəm]	명 매체 형 중간의	통신 매체	a ______ of communication
	media [míːdiə]	명 미디어, 대중 매체	미디어에서 다뤄진	covered by the ______
37	**commerce** [kάməːrs]	명 상업, 무역	국제 무역을 활성화시키다	boost international ______
	commercial [kəmə́ːrʃəl]	형 상업의, 민간의 명 광고 방송	광고 방송 시간	a ______ break
38	**influence** [ínfluəns]	명 영향(력) 동 영향을 주다	매스 미디어의 영향력	the ______ of mass media
	influential [ìnfluénʃəl]	형 영향력 있는	가장 영향력 있는 사람	the most ______ person

STEP 3
Review

A 예비 영단어 또는 우리말 뜻 쓰기

1. grief ______________________
2. lessen ______________________
3. extensive ______________________
4. journalist ______________________
5. agency ______________________
6. affair ______________________
7. effect ______________________
8. solely ______________________
9. 표제, 머리기사, 주요 뉴스 ______________
10. 강조, 중점 ______________
11. 방송하다, 방영하다; 방송 ______________
12. 사설; 사설의, 편집의 ______________
13. 눈을 뗄 수 없는, 설득력 있는 ______________
14. 구독하다, 가입하다 ______________
15. 통지, 알림, 신고 ______________
16. 연합, 조합, 결합 ______________

B 기본 덩어리 표현 완성하기

1. 언론의 자유 freedom of the __________
2. 진품 a genuine __________
3. 그 사건을 다루다 deal with the __________
4. 백만 관객에 이르다 reach 1 million __________s
5. TV 신호를 수신하다 receive TV __________s
6. 그 잡지의 최신 호 the latest __________ of the magazine
7. 삽화를 그리다 draw an __________
8. 대리인을 고용하다 hire an __________
9. 스포츠 칼럼 a sports __________
10. 가장 영향력 있는 사람 the most __________ person
11. 구호를 외치다 shout __________s
12. 통신 매체 a __________ of communication
13. 비판적인 연설 a __________ speech
14. 줄거리에 중점을 두다 put __________ on the story
15. 국제 무역을 활성화시키다 boost international __________
16. 소문을 퍼뜨리다 __________ rumors

▶ 정답 p. 195

C 내신 기출 유형 밑줄 친 단어와 의미가 같은 표현 고르기

선택지 단어 뜻 쓰며 더블 체크!

1. Her parents attempted to influence her decision.

① emphasize ② press ③ issue ④ affect

2. Every year since 2010 the city has held the festival solely for kids.

① deliberately ② relatively ③ exclusively ④ simultaneously

3. Consider adding in an art class, a yoga class, or something to enhance your creativity.

① boost ② convey ③ leak ④ diminish

4. The information is confidential until the company issues an announcement with the details of the plan.

① a subscription ② a notification ③ an illustration ④ a concentration

D 수능 기출 유형 문맥상 알맞은 단어 고르기

1. (1) The artist asked me to [criticize / subscribe] his drawings.
   (2) [Criticize / Subscribe] to our magazine and you will receive twelve issues per year.

2. (1) A news [brief / grief] should include who and what the subject of the news is.
   (2) Her [brief / grief] was so overwhelming and he did not know how to comfort her.

3. (1) The article reported she did a [commercial / crucial] thing in finding the thief.
   (2) Despite being a [commercial / crucial] success, reviews of the film were mixed.

4. When we [advertise / broadcast] for a new manager, we make it clear to all applicants about the task of manager.

5. In the program, there was not the single most [compelling / extensive] cause to make viewers believe the theory.

DAY 12 예술

STEP 1

Single Words

군더더기 없이 핵심에 집중

No.	Word	Meaning	예시 (우리말)	예시 (영어)
01 ★★★	**masterpiece** [mǽstərpìːs]	명 걸작, 명작	가장 훌륭한 걸작	the greatest ________
			Picasso(피카소)의 명작을 감상하다	appreciate Picasso's ________
02 ★★★	**admiration** [ӕdməréiʃən]	명 존경, 감탄	깊은 존경심	deep ________
			그의 그림에 대한 감탄	________ for his paintings
03 ★★☆	**signature** [sígnətʃər]	명 서명, 사인, 특징	작가의 서명이 있다	bear a writer's ________
			TIP '서명하다'라고 할 때 sign(사인)을 쓰는 경우가 있는데 signature를 쓰는 것이 올바른 표현.	
04 ★★★	**portrait** [pɔ́ːrtrit]	명 초상화, 인물 사진	자화상을 그리다	paint a self-________
			인물 사진 작가	a ________ photographer
05 ★★★	**precious** [préʃəs]	형 귀중한, 소중한	귀중한 보석	a ________ jewel
			소중한 추억을 만들다	make ________ memories
06 ★☆☆	**handicraft** [hǽndikræ̀ft]	명 수공예(품)	수공예품을 관광객들에게 팔다	sell ________s to the tourists
			TIP 어원 hand(손)+craft(공예품)='손으로 만든 공예품'이라는 뜻.	
07 ★★☆	**gorgeous** [gɔ́ːrdʒəs]	형 화려한, 아주 멋진	화려한 프레스코화	________ frescoes
			아주 멋진 할리우드 스타	a ________ Hollywood star
08 ★★★	**statue** [stǽtʃuː]	명 조각상	조각상을 세우다	put up a ________
			거대한 조각상	a gigantic ________
09 ★★☆	**carve** [kɑːrv]	동 조각하다, 새기다	돌로 조각하다	________ from stone
			책상 위에 그의 이름을 새기다	________ his name on the desk
10 ★★★	**display** [displéi]	동 전시하다, 보여 주다 / 명 전시, 표현	예술가들의 작품을 전시하다	________ the artists' works
			도서관에 전시된	on ________ in the library

발음+짤강

공부한 날 1회 | 월 일 2회 | 월 일 3회 | 월 일

11 ★★☆
profile [próufail]
명 측면, 옆얼굴, 프로필
동 프로필을 알려 주다

그녀의 강인한 옆얼굴	her strong ________

TIP 우리말로 흔히 '프로필'이라고 하지만 '프로파일'처럼 발음하는 것에 유의.

12 ★★★
frame [freim]
명 틀, 액자, 뼈대
동 틀(액자)에 넣다, 고안하다

창틀	window ________s
그림을 액자에 넣다	________ a picture

13 ★★★
proportion [prəpɔ́ːrʃən]
명 비율, 균형

인체의 비율	________s of the human body
균형이 맞지 않는	out of ________

14 ★★☆
pottery [pátəri]
명 도자기, 도예

도자기를 굽다	fire ________
도예 장인이 되다	become a ________ master

15 ★★☆
polish [páliʃ]
동 다듬다, 닦다, 광을 내다
명 광택(제)

내 글을 다듬다	________ my writing
가구 광택제	furniture ________

16 ★★★
dye [dai]
동 염색하다
명 염료

그녀의 머리를 금발로 염색하다	________ her hair blonde
한국의 천연 염료	Korean natural ________s

17 ★★★
concept [kánsept]
명 개념, 관념, 콘셉트

새로운 개념을 소개하다	introduce a new ________
미의 관념	the ________ of beauty

18 ★☆☆
authentic [ɔːθéntik]
형 진품의, 진짜의, 진정한

진품 그림들을 사다	buy ________ paintings
진정한 통찰력	an ________ insight

19 ★☆☆
monotonous [mənátənəs]
형 단조로운, 변함이 없는

그의 단조로운 대답들	his ________ responses

TIP mono-가 앞에 붙으면 '단일, 하나'와 관련된 뜻.
e.g. **mono**cle(외알 안경), **mono**logue(독백)

20 ★★★
instrument [ínstrəmənt]
명 악기, 도구, 수단

악기를 연주하다	play a musical ________
수술 도구들	surgical ________s

STEP 2

Word Pairs

관련어 '쌍'으로 암기

일쌍달쌍 혼동어

21	**artifact** [ɑ́:rtəfækt]	명 인공물, 공예품, 유물	금과 은으로 된 공예품들	gold and silver ________s
	artificial [ɑ̀:rtəfíʃəl]	형 인공의, 인위적인	인위적인 환경	an ________ environment
22	**respective** [rispéktiv]	형 각각의, 각자의	그들 각자의 분야에서	in their ________ fields
	respectful [rispéktfəl]	형 존경하는, 존중하는	서로 존중하는	________ of each other

비슷한 뜻 유의어

23	**worthless** [wə́:rθlis]	형 가치 없는, 쓸모없는	쓸모없다고 느끼다	feel ________
	valueless [vǽlju:lis]	형 가치 없는, 하찮은	가치 없는 정보	________ information
24	**outstanding** [àutstǽndiŋ]	형 두드러진, 뛰어난	뛰어난 음악성을 갖다	have ________ musicality
	excellent [éksələnt]	형 훌륭한, 탁월한	훌륭한 스페인어를 구사하다	speak ________ Spanish
25	**mimic** [mímik]	동 흉내 내다, 모방하다 명 흉내쟁이	그의 목소리를 흉내 내다	________ his voice
	replicate [répləkèit] / [réplikət]	동 모사하다, 복제하다 명 복제	그의 문체를 모사하다	________ his writing style
26	**valuable** [vǽljuəbl]	형 가치 있는, 귀중한 명 귀중품	가치 있는 그림	a ________ picture
	invaluable [invǽljuəbl]	형 매우 귀중한	매우 귀중한 기회를 갖다	have an ________ opportunity

TIP in-이 앞에 붙으면 보통 반대의 의미를 갖지만 invaluable의 in-은 원래의 의미를 강조함.

반대의 뜻 반의어

27	**abstract** [æbstrǽkt] / [ǽbstrækt]	형 추상적인, 관념적인 명 추상화	추상적 표현주의 화가들	________ expressionists
	concrete [kɑ́nkri:t]	형 구체적인, 확실한 명 콘크리트	구체적인 예시	a ________ example
28	**temporary** [témpərèri]	형 일시적인, 임시의	임시 미술 프로젝트	a ________ art project
	permanent [pə́:rmənənt]	형 영구적인	영구적인 해결책	a ________ solution

살짝 바꾼 파생어

29	**inspire** [inspáiər]	동 영감을 주다, 격려하다	그녀가 글을 쓰기 시작하도록 격려하다	________ her to begin writing
	inspiration [ìnspəréiʃən]	명 영감, 자극	그의 작품에서 영감을 받다	get ________ from his works

No.	Word	Meaning	Example (Korean)	Example (English)
30	**modify** [mɑ́dəfài]	동 변경하다, 수정하다	디자인을 변경하다	________ a design
	modification [mɑ̀dəfikéiʃən]	명 변경, 수정, 조절	상당한 정도의 수정	considerable ________
31	**classify** [klǽsəfài]	동 분류하다, 구분하다	유물을 분류하다	________ artifacts
	classification [klæ̀səfikéiʃən]	명 분류, 범주	분류 체계	a system of ________
32	**imitate** [ímətèit]	동 모방하다, 흉내 내다	자연을 모방하다	________ nature
	imitation [ìmətéiʃən]	명 모조품, 모방, 모작 형 모조의	모조 가죽	________ leather
33	**similar** [símələr]	형 비슷한, 유사한, 닮은	크기가 비슷한	________ in size
	similarity [sìməlǽrəti]	명 비슷함, 유사점	그 작품들 사이의 유사점	a ________ between the works
34	**simplify** [símpləfài]	동 단순화하다, 간소화하다	형태를 단순화하다	________ the shapes
	simplicity [simplísəti]	명 간단함, 단순함, 소박함	그 음악의 단순함	the ________ of the music
35	**fragile** [frǽdʒəl]	형 부서지기 쉬운, 취약한	부서지기 쉬운 도자기	________ pottery
	fragility [frədʒíləti]	명 부서지기 쉬움, 허약	감정적 연약함	emotional ________
36	**compose** [kəmpóuz]	동 작곡하다, 구성하다	오페라를 작곡하다	________ an opera
	composer [kəmpóuzər]	명 작곡가	유명한 작곡가	a famous ________
37	**sculpture** [skʌ́lptʃər]	명 조각품, 조각, 조소 동 조각하다	그리스 조각품이 Rodin(로댕)에게 영감을 주었다.	Greek ________ inspired Rodin.
	sculptural [skʌ́lptʃərəl]	형 조각의, 조각 같은	3D 조각 미술품	a 3D ________ artwork

TIP 파생어 sculpt(조각하다), sculptor(조각가)

No.	Word	Meaning	Example (Korean)	Example (English)
38	**enthusiasm** [inθú:ziæ̀zm]	명 열광, 열중, 열의	큰 열의를 가지고	with great ________
	enthusiastic [inθù:ziǽstik]	형 열렬한, 열광적인	Hemingway(헤밍웨이)의 열렬한 팬	an ________ fan of Hemingway

STEP 3

Review

A 예비 영단어 또는 우리말 뜻 쓰기

1. concrete	______	9. 수공예(품)	______
2. authentic	______	10. 서명, 사인, 특징	______
3. respective	______	11. 단순화하다, 간소화하다	______
4. carve	______	12. 작곡가	______
5. sculptural	______	13. 영감을 주다, 격려하다	______
6. fragility	______	14. 단조로운, 변함이 없는	______
7. admiration	______	15. 전시하다, 보여 주다; 표현	______
8. masterpiece	______	16. 열광, 열중, 열의	______

B 기본 덩어리 표현 완성하기

1. 조각상을 세우다	put up a ______	9. 그림을 액자에 넣다	______ a picture
2. 내 글을 다듬다	______ my writing	10. 부서지기 쉬운 도자기	______ pottery
3. 그녀의 강인한 옆얼굴	her strong ______	11. 오페라를 작곡하다	______ an opera
4. 미의 관념	the ______ of beauty	12. 분류 체계	a system of ______
5. 크기가 비슷한	______ in size	13. 악기를 연주하다	play a musical ______
6. 균형이 맞지 않는	out of ______	14. 한국의 천연 염료	Korean natural ______s
7. 아주 멋진 할리우드 스타	a ______ Hollywood star	15. 상당한 정도의 수정	considerable ______
8. 작가의 서명이 있다	bear a writer's ______	16. 그의 작품에서 영감을 받다	get ______ from his works

▶ 정답 p. 196

C 내신 기출 유형 밑줄 친 단어와 의미가 같은 표현 고르기

선택지 단어 뜻 쓰며 더블 체크!

1. The text has a valuable hidden meaning.
   ① a worthless ② a gorgeous ③ an invaluable ④ a similar

2. He has a talent for imitating famous actors and hopes to be a star.
   ① classifying ② dyeing ③ polishing ④ mimicking

3. When completed, it will be the biggest stone statue in the world.
   ① frame ② profile ③ sculpture ④ portrait

4. They agreed that the painting is an outstanding example of the artist's style.
   ① an excellent ② an abstract ③ an artificial ④ a monotonous

D 수능 기출 유형 문맥상 알맞은 단어 고르기

1. (1) When handling artworks, be [respectful / respective].
   (2) As night fell, they hurried to their [respectful / respective] homes.

2. (1) His writing is characterized by [similarity / simplicity] and realism.
   (2) There is an apparent [similarity / simplicity] between the two cases.

3. (1) This scholarship was made in her name as a [permanent / temporary] reminder of her work.
   (2) Beauty is [permanent / temporary], however, some people think looks is the most important thing.

4. The country is famous for its [artifact / artificial] islands.

5. These insights [inspire / modify] us to be more creative, think differently, and adopt a more challenging decision.

DAY 13 공연/행사

STEP 1

Single Words

군더더기 없이 핵심에 집중

No.	Word	Meaning	Phrase (Korean)	Phrase (English)
01 ★★★	**ceremony** [sérəmòuni]	명 의식, 식, 격식	의식을 거행하다	hold a ________
			결혼식	a wedding ________
02 ★★★	**annual** [ǽnjuəl]	형 매년의, 연례의, 한 해의	연례행사를 계획하다	plan an ________ event
			TIP	ann은 '해마다, 1년의'라는 뜻. e.g. **ann**iversary(기념일), **ann**um(연, 해)
03 ★☆☆	**fabulous** [fǽbjuləs]	형 멋진, 엄청난, 우화에 나오는	멋진 연주회를 열다	give a ________ concert
			엄청난 부	________ wealth
04 ★☆☆	**theatrical** [θiǽtrikəl]	형 연극의, 공연의, 과장된	공연 대행사	a ________ agency
			과장된 몸짓으로	with a ________ gesture
05 ★★★	**celebrity** [səlébrəti]	명 유명 인사, 명성	유명 인사가 되다	become a ________
			가수로 명성을 얻다	achieve ________ as a singer
06 ★★★	**flash** [flæʃ]	명 플래시, 번쩍임 동 비추다, 번쩍이다, (생각이) 번뜩이다	플래시를 켜다	turn on the ________
			전등을 비추다	________ a light
07 ★★★	**audience** [ɔ́:diəns]	명 청중, 관중, 시청자	청중을 사로잡다	attract an ________
			열광적인 관중	enthusiastic ________
08 ★★★	**entrance** [éntrəns]	명 입구, 입학, 입장(권)	입학식을 하다	have an ________ ceremony
			입장하다	gain ________
09 ★★☆	**choir** [kwaiər]	명 합창단, 성가대	합창단원	a ________ member
			성가대를 이끌다	lead the ________
10 ★★★	**theme** [θi:m]	명 주제, 테마, 주제곡	행사의 테마	the ________ of the event
			TIP	우리말로 흔히 '테마'라고 하지만 '띰'처럼 발음하는 것에 유의.

공부한 날 1회 월 일 2회 월 일 3회 월 일

No.	Word	Meaning	Example (Korean)	Example (English)
11 ★★☆	**harmonize** [há:rmənàiz]	동 조화를 이루다, 화음을 넣다	이 색들은 조화를 이룬다.	These colors ________.
			선율에 화음을 넣다	________ a melody
12 ★★★	**classical** [klǽsikəl]	형 클래식 음악의, 고전 문학의, 고전적인	클래식 음악 작곡가	a ________ composer
			고전 언어를 연구하다	study the ________ languages
13 ★★★	**magical** [mǽdʒikəl]	형 마술적인, 마법의, 황홀한	마술 용품들	________ items
			정말 황홀한 장소	a truly ________ place
14 ★★☆	**supervise** [sú:pərvàiz]	동 감독하다, 관리하다, 지도하다	많은 직원을 관리하다	________ a large staff
			TIP 어원 super(위에서)+vise(보다)='위에서 보며 감독하다'라는 뜻.	
15 ★★★	**stage** [steidʒ]	명 무대, 연극, 단계 / 동 개최하다, 무대에 올리다	무대를 꾸미다	set the ________
			오페라를 무대에 올리다	________ an opera
16 ★★★	**score** [skɔ:r]	명 음악 작품, 득점, 점수 / 동 편곡(작곡)하다, 득점하다	관현악 작품	an orchestral ________
			후반전에 득점하다	________ in the second half
17 ★☆☆	**disguise** [disgáiz]	동 변장하다, 위장하다, 숨기다 / 명 변장, 위장	보안 요원으로 위장한	________d as security guards
			TIP 어원 dis(반대)+guise(태도, 옷차림)='태도나 옷차림을 달리하다'라는 뜻.	
18 ★★☆	**fade** [feid]	동 희미해지다, 서서히 사라지다, 바래다	음악 소리가 희미해졌다.	The music ________d away.
			색이 바랜 청바지를 입다	wear ________d blue jeans
19 ★☆☆	**interval** [íntərvəl]	명 (연극 등의) 중간 휴식 시간, 간격, 사이	20분의 중간 휴식 시간	an ________ of 20 minutes
			1주 간격으로	at weekly ________s
20 ★☆☆	**exposition** [èkspəzíʃən]	명 박람회, 전시회, 설명	국제 박람회	an international ________
			많은 설명을 포함하다	include a lot of ________

STEP 2

Word Pairs

관련어 '쌍'으로 암기

알쏭달쏭 혼동어

21	**imaginary** [imǽdʒənèri]	형 상상의, 가상의	가상의 인물을 만들다	create an ________ person
	imaginative [imǽdʒənətiv]	형 상상력이 풍부한, 창의적인	상상력이 풍부한 이야기	an ________ story

TIP imaginary는 상상 속에만 존재하고 실제로는 없는 것을, imaginative는 풍부한 상상력으로 만들어 낸 것을 설명할 때 씀.

22	**role** [roul]	명 배역, 역할	연극의 주연	the leading ________ in a play
	roll [roul]	명 두루마리, 명부, 둥근 통 동 구르다	우등생 명부	an honor ________
23	**active** [ǽktiv]	형 활동적인, 적극적인, 현역의	매우 적극적인 등장인물	a very ________ character
	actual [ǽktʃuəl]	형 실제의, 사실상의	실제 효과를 거두다	produce ________ results
24	**award** [əwɔ́:rd]	명 상, 상금 동 수여하다	연례 시상식	an annual ________ ceremony
	reward [riwɔ́:rd]	명 보상(금) 동 보상하다	보상 받을 만하다	deserve a ________

비슷한 뜻 유의어

25	**awesome** [ɔ́:səm]	형 멋진, 굉장한, 무시무시한	멋진 축제를 즐기다	enjoy an ________ festival
	amazing [əméiziŋ]	형 놀라운, 멋진	놀라운 목소리를 가지고 있다	have an ________ voice
26	**suitable** [sú:təbl]	형 적합한, 적절한	뮤지컬 배역에 적합한	________ for the musical part
	appropriate [əpróupriət]	형 적당한, 적절한	적절한 격식을 차려서	with ________ ceremony
27	**postpone** [poustpóun]	동 연기하다, 미루다	콘서트를 연기하다	________ the concert
	delay [diléi]	동 지연시키다, 연기하다 명 지연, 지체	두 시간의 지연	a ________ of two hours

살짝 바꾼 파생어

28	**celebrate** [séləbrèit]	동 기념하다, 축하하다	새해를 축하하다	________ New Year's Day
	celebration [sèləbréiʃən]	명 축하 (행사)	큰 축하 행사	a grand ________
29	**exhibit** [igzíbit]	동 전시하다 명 전시회, 전시물, 증거품	역사적 유물 전시회	an ________ of historic artifacts
	exhibition [èksəbíʃən]	명 전시(회), 박람회	사진전에 방문하다	visit a photo ________

발음+짤강

No.	Word	Meaning	Example (Korean)	Example
30	**organize** [ɔ́ːrgənàiz]	동 조직하다, 준비하다	이벤트를 준비하다	________ an event
	organization [ɔ̀ːrgənizéiʃən]	명 조직, 기구, 단체	비영리 단체	a nonprofit ________
31	**coordinate** [kouɔ́ːrdənèit]	동 조정하다, 조직화하다, (옷차림·가구 등이) 잘 어울리다	일정을 조정하다	________ schedules
	coordination [kouɔ̀ːrdənéiʃən]	명 조직(화), 합동, 조화	부서 간 조직화	________ between departments
32	**admit** [ædmít]	동 입장을 허락하다, 인정하다, 자백하다	박물관 입장을 허락 받은	________ted to the museum
	admission [ədmíʃən]	명 입장(료), 입학, 자백	입장권	an ________ ticket

TIP admit에 -ion이 붙어 명사가 될 때 t가 빠지고 ss가 되는 것에 유의.

No.	Word	Meaning	Example (Korean)	Example
33	**perform** [pərfɔ́ːrm]	동 공연하다, 수행하다	주 무대에서 공연하다	________ on the main stage
	performance [pərfɔ́ːrməns]	명 공연, 수행, 성과	'리어왕'을 공연하다	give a ________ of *King Lear*
34	**comment** [kάment]	명 논평, 주석 / 동 논평하다, 해설하다	그 공연에 대해 논평하다	________ on the performance
	commentary [kάməntèri]	명 논평, 해설(서), 중계방송	뉴스 해설	news ________
35	**popular** [pάpjulər]	형 인기 있는, 대중의	인기 있는 케이팝 그룹들	________ K-pop groups
	popularity [pὰpjulǽrəti]	명 인기, 인지도, 대중성	큰 인기를 얻다	gain huge ________
36	**conduct** [kəndʌ́kt] 동 지휘하다, 수행하다, 행동하다 / [kάndʌkt] 명 행위, 안내		합창단을 지휘하다	________ the choir
	conductor [kəndʌ́ktər]	명 지휘자, 지도자, 안내원	오케스트라 지휘자	an orchestra ________
37	**participate** [pɑːrtísəpèit]	동 참여하다, 참가하다	쇼에 참여하다	________ in the show
	participant [pɑːrtísəpənt]	명 참가자	콘테스트 참가자들	________s in a contest
38	**revive** [riváiv]	동 재공연(재상연)하다, 소생시키다	오페라를 재공연하다	________ an opera
	revival [riváivəl]	명 재공연, 재상연, 회복	Shakespeare(셰익스피어) 연극 재공연	a ________ of Shakespeare's plays

STEP 3
Review

A 예비 영단어 또는 우리말 뜻 쓰기

1. revival ______________
2. comment ______________
3. roll ______________
4. amazing ______________
5. suitable ______________
6. entrance ______________
7. participant ______________
8. theme ______________
9. 의식, 식, 격식 ______________
10. 배역, 역할 ______________
11. 중간 휴식 시간, 간격, 사이 ______________
12. 상, 상금; 수여하다 ______________
13. 매년의, 연례의, 한 해의 ______________
14. 플래시; 비추다, 번쩍이다 ______________
15. 상상력이 풍부한, 창의적인 ______________
16. 감독하다, 관리하다, 지도하다 ______________

B 기본 덩어리 표현 완성하기

1. 큰 축하 행사 a grand ______________
2. 무대를 꾸미다 set the ______________
3. 박물관 입장을 허락 받은 ______________ted to the museum
4. 관현악 작품 an orchestral ______________
5. 보안 요원으로 위장한 ______________d as security guards
6. 일정을 조정하다 ______________ schedules
7. 뉴스 해설 news ______________
8. 청중을 사로잡다 attract an ______________
9. 큰 인기를 얻다 gain huge ______________
10. 음악 소리가 희미해졌다. The music ______________d away.
11. 실제 효과를 거두다 produce ______________ results
12. 선율에 화음을 넣다 ______________ a melody
13. 가상의 인물을 만들다 create an ______________ person
14. 합창단을 지휘하다 ______________ the choir
15. 가수로 명성을 얻다 achieve ______________ as a singer
16. 보상 받을 만하다 deserve a ______________

▶ 정답 p. 196

C 내신 기출 유형 밑줄 친 단어와 의미가 같은 표현 고르기

선택지 단어 뜻 쓰며 더블 체크!

1. The toy is not suitable for children under five.

① annual ② appropriate ③ fabulous ④ magical

2. The final match has been postponed from Friday to Saturday night.

① delayed ② conducted ③ participated ④ supervised

3. The museum will open the exhibition illustrating the history next week.

① organization ② coordination ③ admission ④ exposition

4. He was so anxious, but he wanted to give an amazing performance for the audience.

① a popular ② an awesome ③ a classical ④ a theatrical

D 수능 기출 유형 문맥상 알맞은 단어 고르기

1. (1) Mina's grades went up and she was on the honor [role / roll].
   (2) Tim plays the [role / roll] of the horse while Mike plays the [role / roll] of the magician.

2. (1) A critic commented that the restaurant's menu is quite [imaginary / imaginative].
   (2) When he was a child, he had [imaginary / imaginative] conversations with Janet.

3. (1) Rats are most [active / actual] at night and are seldom seen during the day.
   (2) Gestures can have more influence on the way that a message is received than the [active / actual] words spoken.

4. There was a [celebration / popularity] in our house that night.

5. His plays, long considered unstageable, were finally being [organized / performed] to enthusiastic audiences.

DAY 14 건축

STEP 1
Single Words
군더더기 없이 핵심에 집중

01 ★★☆ **memorial** [məmɔ́ːriəl] 명 기념비, 기념관 형 기념의

전쟁 기념비를 세우다	build a war ________

TIP 파생어 memory(기억, 기념), memorize(기억하다, 암기하다), memorable(기억할 만한)

02 ★★☆ **elaborate** [ilǽbərət] 형 정교한, 정성 들인 [ilǽbərèit] 동 자세히 말하다, 정성들여 만들어 내다

매우 정교한 조각품들	highly ________ sculptures
그 공지에 대해 자세히 말하다	________ on the notice

03 ★★★ **splendid** [spléndid] 형 화려한, 멋진, 훌륭한

화려한 궁전	a ________ palace
멋진 날씨를 즐기다	enjoy ________ weather

04 ★★★ **complicated** [kɑ́mpləkèitid] 형 복잡한, 어려운

복잡한 미로	a ________ maze
어려운 문제를 풀다	solve a ________ problem

05 ★★★ **contrast** [kəntrǽst] 동 대조하다 [kɑ́ntræst] 명 대조, 차이

이전 것과 대조하다	________ with the previous one
겉모습의 차이	a ________ in appearance

06 ★★★ **distinguish** [distíŋgwiʃ] 동 구별하다, 분간하다

형태를 구별하다	________ shapes
두 가지를 분간하다	________ between two things

07 ★★★ **differ** [dífər] 동 다르다, 의견을 달리하다

길이가 다르다	________ in length

TIP 파생어 different(다른, 차이가 나는), difference(다름, 차이), differentiate(구별하다)

08 ★★★ **establish** [istǽbliʃ] 동 설립하다, 설정하다, 제정하다, 규명하다

자유 무역 구역을 설정하다	________ a free trade zone
건축 법규를 제정하다	________ building codes

09 ★★★ **standard** [stǽndərd] 명 표준, 기준, 규범 형 일반적인, 표준 규격에 맞춘

기술 표준	technical ________s
일반적인 관례를 따르다	follow ________ practice

10 ★★★ **collapse** [kəlǽps] 동 붕괴하다, 무너지다 명 붕괴

붕괴된 건물들	________d buildings
그 나라의 붕괴	the ________ of the country

발음+짤강

공부한 날 1회 | 월 일 2회 | 월 일 3회 | 월 일

No.	Word	Meaning	예문(한)	예문(영)
11 ★★★	**barrier** [bǽriər]	명 장벽, 장애물	장벽을 쌓다	set up a ______
			장애물들을 뚫고 나가다	break through the ______s
12 ★★★	**reputation** [rèpjutéiʃən]	명 명성, 평판	지도자로서 명성을 얻다	earn a ______ as a leader
			평판을 쌓다	establish a ______
13 ★★★	**process** [prɑ́ses]	명 과정, 공정, 절차 동 가공하다, 처리하다	건설 과정	the ______ of building
			가공된 치즈	______ed cheese
14 ★☆☆	**estate** [istéit]	명 사유지, 단지, 재산	주택 단지	a housing ______
			부동산	real ______
15 ★★★	**shelter** [ʃéltər]	명 대피(소), 피난처, 쉼터 동 보호하다, 숨다	임시 대피소	a temporary ______
			동굴에 숨다	______ in a cave
16 ★★☆	**spare** [spɛər]	형 여분의, 예비용의, 남는 동 아끼다, 절약하다, 할애하다	여분의 침실	a ______ bedroom
			노력을 아끼지 않다	______ no effort
17 ★★★	**firm** [fəːrm]	형 단단한, 확고한 명 회사 동 단단하게 하다	단단한 경주로 위에	on a ______ track
			땅을 단단하게 하다	______ the soil
18 ★☆☆	**alley** [ǽli]	명 골목, 통로, 볼링장	막다른 골목	a dead-end ______
			옆 통로를 따라	along a side ______
19 ★☆☆	**spiral** [spáiərəl]	명 나선형, 소용돌이 형 나선형의 동 나선형을 그리다	나선형 계단	a ______ staircase
			나선형을 그리며 지면으로 내려가다	______ down to the ground
20 ★★★	**property** [prɑ́pərti]	명 재산, 부동산, 소유지	부동산 가격이 오르다.	The price of ______ goes up.

TIP 유의어 belongings는 소지나 운반이 가능한 개인의 소유물이나 소지품을 가리킴.

STEP 2

Word Pairs

관련어 '쌍'으로 암기

알쏭달쏭 혼동어

No.	Word	Meaning	예시	Phrase
21	**site** [sait]	명 장소, 현장, (인터넷) 사이트	건설 현장	a building ________
	sight [sait]	명 시력, 시야, 광경	웅장한 광경	a magnificent ________
22	**flat** [flæt]	형 편평한, 납작한 명 평평한 부분, 아파트	차고의 편평한 지붕	the ________ roof of a garage
	plat [plæt]	명 도면, 작은 땅 동 도면을 만들다	신도시의 도면을 만들다	________ a new town

TIP 영국식 영어에서 '아파트'를 flat으로 쓰고 미국식으로는 apartment를 씀.

No.	Word	Meaning	예시	Phrase
23	**contemporary** [kəntémpərèri]	형 현대의, 동시대의 명 동시대 사람	현대적인 스타일	________ style
	contemplative [kəntémplətiv]	형 사색하는, 명상적인	명상적인 생활	a ________ life

비슷한 뜻 유의어

No.	Word	Meaning	예시	Phrase
24	**border** [bɔ́ːrdər]	명 국경, 경계, 가장자리 동 경계를 접하다	호수 가장자리	the ________ of a lake
	edge [edʒ]	명 가장자리, 끝, 모서리, 날	시내 끝에 있는	at the ________ of a city
25	**provide** [prəváid]	동 제공하다, 공급하다	그에게 음식을 제공하다	________ him with food
	supply [səplái]	동 공급하다, 충족시키다 명 공급(물)	마을에 물을 공급하다	________ a town with water
26	**rebuild** [riːbíld]	동 다시 세우다, 재건하다	임시 쉼터를 다시 세우다	________ temporary shelters
	reconstruct [riːkənstrʌ́kt]	동 재건하다, 복원하다, 재구성하다	요새를 복원하다	________ the fortress

반대의 뜻 반의어

No.	Word	Meaning	예시	Phrase
27	**external** [ikstə́ːrnl]	형 외부의, 대외적인 명 외부, 외관	건물의 외벽	the building's ________ walls
	internal [intə́ːrnl]	형 내부의, 체내의, 국내의	내부 구조	the ________ structure

살짝 바꾼 파생어

No.	Word	Meaning	예시	Phrase
28	**construct** [kənstrʌ́kt]	동 건설하다, 구성하다	고속도로를 건설하다	________ a highway
	construction [kənstrʌ́kʃən]	명 건설, 건축 양식, 건축물	건설업에 종사하다	work in ________
29	**found** [faund]	동 설립하다, 세우다, 기반을 두다	단체를 설립하다	________ an organization
	foundation [faundéiʃən]	명 기초, 토대, 재단, 설립	기초를 확립하다	set up a ________

No.	Word	Meaning	예시	Example
30	**decorate** [dékərèit]	(동) 장식하다, 꾸미다, (훈장을) 수여하다	방을 미술품으로 꾸미다	______ a room with art
	decoration [dèkəréiʃən]	(명) 장식(품), 훈장	실내 장식	interior ______
31	**suspend** [səspénd]	(동) 매달다, 중단하다, 연기하다	천장에 매달린	______ed from the ceiling
	suspension [səspénʃən]	(명) 매달기, 연기, 보류, 정학	지불 보류	______ of payment
32	**architect** [á:rkitèkt]	(명) 건축가, 설계자	세계적으로 유명한 건축가	a world-famous ______
	architecture [á:rkitèktʃər]	(명) 건축(학), 건축 양식	그리스 건축 양식	Greek ______

TIP architect는 단어 끝에 사람을 나타내는 -er/-or/-ist가 없지만 뜻이 '건축가'인 것에 유의.

No.	Word	Meaning	예시	Example
33	**technique** [tekní:k]	(명) 기술, 기법, 테크닉	건축 기술	a construction ______
	technician [tekníʃən]	(명) 기술자, 전문가	건축학 전문가	an architectural ______
34	**drain** [drein]	(동) 배출시키다, 배수하다	연못의 물을 배출시키다	______ the pond
	drainage [dréinidʒ]	(명) 배수 (장치), 배수로	배수 시설	a ______ system
35	**impress** [imprés] / [ímpres]	(동) 인상을 주다, 감동시키다 / (명) 인상, 감명	Gaudí(가우디)의 작품에 감동 받은	______ed by Gaudí's work
	impressive [imprésiv]	(형) 인상적인, 멋진	인상적인 건축 양식	______ architecture
36	**vacant** [véikənt]	(형) 비어 있는, 공허한	빈 집	a ______ house
	vacancy [véikənsi]	(명) 빈방, 빈자리, 방심	빈자리를 채우다	fill a ______
37	**steady** [stédi]	(형) 꾸준한, 안정된 (동) 진정시키다, 균형을 잡다	느리지만 꾸준한 과정	a slow but ______ process
	steadily [stédili]	(부) 꾸준히, 착실하게	꾸준히 나아지다	______ get better
38	**facility** [fəsíləti]	(명) 시설, 설비, 재능	스포츠 시설	a sports ______
	facilitate [fəsílətèit]	(동) 용이하게 하다, 촉진하다	성장을 촉진하다	______ growth

STEP 3

Review

A 예비 영단어 또는 우리말 뜻 쓰기

1. estate	______	9. 기초, 토대, 재단, 설립	______
2. construction	______	10. 장식(품), 훈장	______
3. flat	______	11. 나선형; 나선형의; 나선형을 그리다	______
4. contemplative	______	12. 구별하다, 분간하다	______
5. sight	______	13. 대조하다; 대조, 차이	______
6. steady	______	14. 매달다, 중단하다, 연기하다	______
7. spare	______	15. 붕괴하다, 무너지다; 붕괴	______
8. vacant	______	16. 외부의, 대외적인; 외부, 외관	______

B 기본 덩어리 표현 완성하기

1. 기술 표준	technical ______s	9. 장벽을 쌓다	set up a ______
2. 평판을 쌓다	establish a ______	10. 막다른 골목	a dead-end ______
3. 전쟁 기념비를 세우다	build a war ______	11. 동굴에 숨다	______ in a cave
4. 부동산 가격이 오르다.	The price of ______ goes up.	12. 매우 정교한 조각품들	highly ______ sculptures
5. 배수 시설	a ______ system	13. 고속도로를 건설하다	______ a highway
6. 내부 구조	the ______ structure	14. 길이가 다르다	______ in length
7. 스포츠 시설	a sports ______	15. 지불 보류	______ of payment
8. 빈자리를 채우다	fill a ______	16. 땅을 단단하게 하다	______ the soil

▶ 정답 p. 197

C 내신 기출 유형 밑줄 친 단어와 의미가 같은 표현 고르기

선택지 단어 뜻 쓰며 더블 체크!

1. She sat on the edge of the table and I sat on the center.

① barrier ______ ② bond ______ ③ border ______ ④ brief ______

2. The project aims to reconstruct a Greek vase from fragments.

① contrast ______ ② shelter ______ ③ rebuild ______ ④ drain ______

3. He set up an organization providing food and shelter for the homeless.

① establishing ______ ② facilitating ______ ③ processing ______ ④ supplying ______

4. Amy takes photos of impressive street artworks from around the world.

① splendid ______ ② memorial ______ ③ complicated ______ ④ firm ______

D 수능 기출 유형 문맥상 알맞은 단어 고르기

1. (1) Coins are usually round and [flat / plat].
   (2) The city committee approved the [flat / plat] for the business park.

2. (1) She used to subscribe to a magazine devoted to [contemplative / contemporary] fashions.
   (2) Most [contemplative / contemporary] practices encourage careful evaluation of our concept of self and reality.

3. (1) I studied Gothic [architect / architecture] and design in Berlin.
   (2) At that point in his career, the young [architect / architecture] has never designed such large buildings.

4. The company has chosen a new [sight / site] for its office building.

5. Charlie tried a new [technician / technique] for dealing with problems of that kind.

DAY 15 문학/언어

STEP 1
Single Words
군더더기 없이 핵심에 집중

01 ★★★	**literature** [lítərətʃər]	명 문학 (작품), 문헌	대중 문학	public ____________
			TIP liter가 있으면 '글자'와 관련된 뜻.	
02 ★★☆	**literacy** [lítərəsi]	명 읽고 쓰는 능력, (컴퓨터 등의) 사용 능력	읽고 쓰는 능력을 기르다	build ____________
			정보 사용 능력	information ____________
03 ★☆☆	**linguistic** [liŋgwístik]	형 언어의, 언어학의	언어에 재능이 있다	have ____________ talent
			언어학	____________ science
04 ★★★	**publish** [pʌ́bliʃ]	동 출판하다, (공식적으로) 발표하다	어린이 책을 출판하다	____________ children's books
			새로운 학설을 발표하다	____________ a new theory
05 ★★☆	**revise** [riváiz]	동 개정하다, 변경하다	교과서를 개정하다	____________ textbooks
			계획을 변경하다	____________ the plan
06 ★★★	**author** [ɔ́:θər]	명 작가, 저자 / 동 쓰다, 저술하다	유명한 작가	a famous ____________
			책을 쓰다	____________ a book
07 ★★★	**biography** [baiɑ́grəfi]	명 전기, 일대기	Einstein(아인슈타인) 전기	a ____________ of Einstein
			내 일대기를 출판하다	publish my ____________
08 ★★☆	**plot** [plat]	명 줄거리, 음모 / 동 음모를 꾸미다	복잡한 줄거리	the complex ____________
			그림을 훔칠 음모를 꾸미다	____________ to steal the painting
09 ★★★	**poem** [póuəm]	명 시, 운문	시를 쓰다	write a ____________
			TIP poem은 한 편의 시를 가리키고 poetry는 문학 형식으로서의 시를 나타냄.	
10 ★★☆	**genre** [ʒɑ́:nrə]	명 장르, 풍속화 / 형 장르별의, 풍속화의	문학 장르	____________s of literature
			바로크 풍속화	a Baroque ____________ painting

발음+짤강

공부한 날 1회 | 월 일 2회 | 월 일 3회 | 월 일

11 context ★★★
[kɑ́ntekst]

명 문맥, 맥락, 전후 사정

문맥을 파악하다	understand the ________
맥락을 무시하고	out of ________

12 clue ★★★
[klu:]

명 단서, 실마리
동 암시를 주다

단서를 찾다	find a ________
그 사실에 대한 암시를 주다	________ in on the fact

13 sequence ★☆☆
[sí:kwəns]

명 연속, 순서, 차례

사건의 연속	the ________ of events
연대순으로	in chronological ________

14 phrase ★★★
[freiz]

명 구, 어구, 관용구

명사구	a noun ________
기억할 만한 어구	a memorable ________

15 spell ★★★
[spel]

동 철자를 말하다, 철자를 맞게 쓰다
명 주문, 마법

그의 이름을 잘못 쓰다	________ his name wrong
마법의 주문	a magic ________

16 content ★★★
[kɑ́ntent]

명 (책·연설 등의) 내용, 목차, 내용물, 용량

연설 내용	the ________ of the speech
목차표	a table of ________s

17 volume ★★★
[vɑ́lju:m]

명 (전집 등의) 한 권, (월간지 등의) 권, 용량, 음량

그의 전기의 첫 권	the first ________ of his biography

TIP 전집 등의 각각의 책을 지칭. 잡지의 경우에는 한 해 동안 나온 동일 잡지의 모든 호를 가리킴.

18 term ★★★
[tə:rm]

명 용어, 학기, 기간

일반적인 용어로	in general ________s
학기 말	the end of the ________

19 bilingual ★☆☆
[bailíŋgwəl]

형 두 언어를 구사하는

두 개의 언어로 된 사전	a ________ dictionary

TIP bi-가 앞에 붙으면 '둘'과 관련된 뜻.
e.g. **bi**cycle(자전거), **bi**annual(일 년에 두 번의)

20 verbal ★☆☆
[və́:rbəl]

형 말의, 언어의, 구두의

비언어적 의사소통	non-________ communication
구두로 지시하다	give ________ instructions

DAY 15 | 문학/언어

STEP 2

Word Pairs

관련어 '쌍'으로 암기

알쏭달쏭 혼동어

21	**series** [síəriːz]	명 연속, 시리즈	Harry Potter(해리포터) 시리즈	the Harry Potter ______
	serious [síəriəs]	형 심각한, 진지한, 진심인	심각한 대화	a ______ conversation
22	**literate** [lítərət]	형 읽고 쓸 줄 아는, 교양 있는	매우 교양 있는	highly ______
	literary [lítərèri]	형 문학의, 문예의, 문자 언어의	문학 비평	______ criticism

비슷한 뜻 유의어

23	**draft** [dræft]	명 밑그림, 초안 동 초안을 작성하다	계약서 초안	a ______ of the contract
	outline [áutlàin]	명 윤곽, 개요 동 윤곽을 그리다	개요를 쓰다	write an ______
24	**fiction** [fíkʃən]	명 소설, 허구, 가설	공상 과학 소설	science ______
	novel [návəl]	명 (장편) 소설	소설을 출판하다	publish a ______

TIP science fiction(공상 과학 소설)은 줄여서 흔히 SF라고도 하는데 sci-fi가 올바른 표현임. novel은 주로 장편 소설을 의미하고, 단편 소설에는 short story 등을 씀.

반대의 뜻 반의어

25	**comic** [kámik]	형 웃기는, 희극의 명 코미디언, 만화책	대단히 웃기는 등장인물들	richly ______ characters
	tragic [trǽdʒik]	형 비극의, 비극적인	비극적인 이야기	a ______ story

살짝 바꾼 파생어

26	**define** [difáin]	동 정의하다, 규정하다	단어를 정의하다	______ a word
	definition [dèfəníʃən]	명 정의, 개념	사전적 정의	a dictionary ______
27	**describe** [diskráib]	동 묘사하다, 서술하다	그림을 묘사하다	______ a picture
	description [diskrípʃən]	명 묘사, 기술, 설명	자세한 묘사	a detailed ______
28	**edit** [édit]	동 편집하다, 수정하다	산문집을 편집하다	______ a book of essays
	edition [idíʃən]	명 (간행물의) 판, (연속 프로그램의) 1회분	특별판	a special ______
29	**imply** [implái]	동 함축하다, 암시하다	네 말이 함축하는 것	what your words ______
	implication [ìmpikéiʃən]	명 함축, 암시, 영향	함축적으로	by ______

발음+짤강

No.	단어	뜻	예시	표현
30	**interpret** [intə́ːrprit]	동 설명하다, 해석하다, 통역하다	시를 설명하다	____________ a poem
	interpretation [intə̀ːrprətéiʃən]	명 설명, 해석, 통역	동시통역	simultaneous ____________
31	**translate** [trænsléit]	동 번역하다, 해석하다, (다른 형태로) 바꾸다	그의 책들을 번역하다	____________ his books
	translation [trænsléiʃən]	명 번역, 해석	번역상의 오류	an error in ____________

TIP interpret은 어떤 언어로 말해지는 것을 다른 언어로 '통역'하는 것을 나타내고 translate는 어떤 언어로 쓰여진 것을 다른 언어로 '번역'하는 것을 가리킴.

No.	단어	뜻	예시	표현
32	**pronounce** [prənáuns]	동 발음하다, 선언하다	그 제목을 바르게 발음하다	____________ the title correctly
	pronunciation [prənʌ̀nsiéiʃən]	명 발음	발음을 교정하다	correct ____________
33	**fluent** [flúːənt]	형 (언어가) 유창한, 능숙한	유창한 중국어를 구사하다	speak ____________ Chinese
	fluency [flúːənsi]	명 유창함, 유창성	유창하게 읽다	read with ____________
34	**accurate** [ǽkjurət]	형 정확한, 정밀한	역사적으로 정확한 소설	a historically ____________ novel
	accuracy [ǽkjurəsi]	명 정확(도)	그 데이터의 정확도를 보장하다	ensure ____________ of the data
35	**refer** [rifə́ːr]	동 참고하다, 참조하다, 언급하다	그 안내서를 참조하다	____________ to the guidebook
	reference [réfərəns]	명 참고, 참조, 언급	참고 도서	a ____________ book
36	**recite** [risáit]	동 암송하다, 낭독하다	시를 낭독하다	____________ a poem
	recital [risáitl]	명 연주회, 암송, 상세한 설명	첼로 연주회를 열다	hold a cello ____________
37	**irony** [áiərəni]	명 아이러니, 모순, 반어법	극적 아이러니	dramatic ____________
	ironic [airɑ́nik]	형 비꼬는, 역설적인	비꼬는 어조	an ____________ tone
38	**literal** [lítərəl]	형 문자 그대로인, 직역의, 융통성 없는	문자 그대로의 의미	a ____________ meaning
	literally [lítərəli]	부 글자 그대로, 정말로	논평을 글자 그대로 받아들이다	take comments ____________

STEP 3
Review

A 예비 영단어 또는 우리말 뜻 쓰기

1. context	______	9. (언어가) 유창한, 능숙한	______
2. clue	______	10. 언어의, 언어학의	______
3. plot	______	11. 작가, 저자; 저술하다	______
4. literacy	______	12. 장르, 풍속화; 장르별의	______
5. sequence	______	13. 용어, 학기, 기간	______
6. spell	______	14. 발음하다, 선언하다	______
7. description	______	15. 함축, 암시, 영향	______
8. accurate	______	16. 연주회, 암송, 상세한 설명	______

B 기본 덩어리 표현 완성하기

1. 대중 문학	public ______	9. 명사구	a noun ______
2. 목차표	a table of ______s	10. 교과서를 개정하다	______ textbooks
3. 시를 낭독하다	______ a poem	11. 그의 전기의 첫 권	the first ______ of his biography
4. 일반적인 용어로	in general ______s	12. 참고 도서	a ______ book
5. 산문집을 편집하다	______ a book of essays	13. 발음을 교정하다	correct ______
6. 번역상의 오류	an error in ______	14. 매우 교양 있는	highly ______
7. 어린이 책을 출판하다	______ children's books	15. 논평을 글자 그대로 받아들이다	take comments ______
8. 비극적인 이야기	a ______ story	16. 사전적 정의	a dictionary ______

▶ 정답 p. 197

C 내신 기출 유형 밑줄 친 단어와 의미가 같은 표현 고르기

선택지 단어 뜻 쓰며 더블 체크!

1. Her novels manage to be engaging and historically <u>accurate</u> at the same time.

   ① fluent ② serious ③ correct ④ literate

2. They founded a theater company specialized in non-<u>verbal</u> performances.

   ① literal ② linguistic ③ bilingual ④ ironic

3. Do you know if Tommy enjoys watching soap operas on TV, or reading <u>fiction</u>?

   ① phrases ② genres ③ ironies ④ novels

4. Computers simultaneously <u>interpret</u> the speech into written text in a language chosen by the user.

   ① translate ② revise ③ edit ④ refer

D 수능 기출 유형 문맥상 알맞은 단어 고르기

1. (1) Rights [define / imply] obligations.

   (2) It is important to [define / imply] these terms accurately.

2. (1) When it started, they were very [series / serious] all of a sudden.

   (2) The newspaper ran a [series / serious] of articles on global warming.

3. (1) Drama is only one of many [literary / literate] forms.

   (2) What percentage of adults in the world are [literary / literate]?

4. The process is fully [described / recited] in section three of the book.

5. The purpose of the course is to present examples of language in use in an appropriate [clue / context].

DAY 16

STEP 1

Single Words

역사/문화/지리

군더더기 없이 핵심에 집중

01 ★★☆	**noble** [nóubl]	ⓗ 귀족의, 고귀한 ⓜ 귀족	부유한 귀족 가문들 귀족들의 소유이다	rich and ______ families belong to the ______s
02 ★★☆	**pioneer** [pàiəníər]	ⓜ 개척자, 선구자 ⓓ 개척하다	진정한 개척자 새로운 미술 양식을 개척하다	a true ______ ______ a new art form
03 ★★☆	**precede** [prisí:d]	ⓓ 앞서다, 선행하다	천둥이 치기 전에 번개가 앞서다.	Lightning ______s thunder.
			TIP 공간이나 시간, 순서 등에서 앞선다는 의미. *cf.* proceed(진행하다, 나아가다)	
04 ★★★	**decade** [dékeid]	ⓜ 10년(간)	최근 수십 년간 거의 10년간 지속하다	in recent ______s last nearly a ______
05 ★★★	**recent** [rí:snt]	ⓗ 최근의	잡지의 최근 호 최근 나의 중국 방문	a ______ issue of the magazine my ______ visit to China
06 ★★☆	**primitive** [primətiv]	ⓗ 초기의, 원시의, 원시적인	원시 사회 원색	a ______ society ______ colors
07 ★★★	**ancient** [éinʃənt]	ⓗ 고대의, 오래된	고대 로마 시대	the ______ Roman period
			TIP *cf.* medieval(중세의), modern(근대의)	
08 ★★★	**heritage** [héritidʒ]	ⓜ 유산	풍부한 문화유산 유네스코 세계 문화유산 보호지역	a rich cultural ______ a UNESCO World ______ Site
09 ★★☆	**antique** [æntí:k]	ⓜ 골동품 ⓗ 오래된, 골동품인	골동품상 오래된 가구를 사다	an ______ dealer buy ______ furniture
10 ★★★	**continue** [kəntínju:]	ⓓ 계속하다, 지속하다	계속해서 역사를 연구하다 문화 교육을 지속하다	______ to study history ______ cultural education

공부한 날 1회 월 일 2회 월 일 3회 월 일

11 ★★☆	**monument** [mɑ́njumənt]	명 기념물, 기념비(적인 것)	고대 기념물	an ancient ________
			기념비를 세우다	erect a ________
12 ★★★	**costume** [kɑ́stju:m]	명 의상, 복장	의상 디자이너	a ________ designer
			역사적인 의상을 전시하다	exhibit historic ________s
13 ★☆☆	**taboo** [təbú:]	명 금기, 터부 형 금기의, 금지의	금기를 깨다	break a ________
			TIP	폴리네시아어 터부(tabu)에서 유래된 말로 tabu는 어떤 사람이나 물건 등에 관해 언급하거나 접촉하기를 금하는 풍습을 의미함.
14 ★★★	**aspect** [ǽspekt]	명 측면, 방향, 모양	문화의 여러 측면	different ________s of culture
			남향	a southern ________
15 ★★☆	**derive** [diráiv]	동 이끌어내다, 비롯되다, 추론하다	교훈을 이끌어내다	________ lessons
			독일어에서 비롯된 단어	words ________d from German
16 ★★★	**local** [lóukəl]	형 지역의, 지방의 명 현지인, 주민	지역 신문	a ________ newspaper
			관광객뿐 아니라 주민 또한	________s as well as tourists
17 ★☆☆	**altitude** [ǽltətjù:d]	명 고도, 해발, 고지	고도가 더 높은 곳으로 이동하다	move to higher ________s
			TIP	어원 alti(높은)+tude(상태에 있는 것)
18 ★★★	**range** [reindʒ]	명 범위, (사정) 거리 동 이르다, 배열하다	광범위한 분야	a wide ________ of areas
			나이가 7~13세에 이르다	________ in age from 7 to 13
19 ★★★	**continent** [kɑ́ntənənt]	명 대륙	7대륙 5대양	seven ________s and five oceans
			아프리카 대륙을 횡단하다	cross the African ________
20 ★★★	**custom** [kʌ́stəm]	명 관습, 관세 형 주문한, 맞춘	사회적 관습을 깨뜨리다	break the social ________
			오직 맞춤옷만 입다	wear only ________ clothes

STEP 2

Word Pairs

관련어 '쌍'으로 암기

알쏭달쏭 혼동어

No.	Word	Meaning	Korean phrase	Example
21	**geography** [dʒiάgrəfi]	명 지리학, 지형	인문 지리학	human ___________
	geology [dʒiάlədʒi]	명 지질(학), 지질학적 특징	화성의 지질을 연구하다	study the ___________ of Mars
22	**ethnic** [éθnik]	형 민족의, 인종의	민족 공동체	an ___________ community
	ethics [éθiks]	명 윤리(학), 도덕	개인 윤리 문제	an issue of personal ___________

비슷한 뜻 유의어

No.	Word	Meaning	Korean phrase	Example
23	**perspective** [pərspéktiv]	명 관점, 시각, 견해	다른 관점에서	from a different ___________
	attitude [ǽtitjù:d]	명 태도, 자세, 마음가짐	긍정적인 태도	a positive ___________

반대의 뜻 반의어

No.	Word	Meaning	Korean phrase	Example
24	**ancestor** [ǽnsestər]	명 조상, 선조	공통의 조상을 갖다	share a common ___________
	descendant [diséndənt]	명 자손, 후예	직계 자손	a lineal ___________
25	**significant** [signífikənt]	형 중요한, 상당한	역사적으로 중요한 날	a historically ___________ day
	insignificant [ìnsignífikənt]	형 사소한, 하찮은	사소한 실수를 하다	make an ___________ mistake

살짝 바꾼 파생어

No.	Word	Meaning	Korean phrase	Example
26	**associate** [əsóuʃièit] / [əsóuʃiət]	동 관련시키다, 어울리다 / 형 (직함에서의) 준, 제휴한	그 문화와 관련된	___________d with the culture
	association [əsòusiéiʃən]	명 협회, 유대, 연관	지역 협회를 형성하다	form a local ___________
27	**civilize** [sívəlàiz]	동 문명화하다, 교화하다	문명화된 사회	a ___________d society
	civilization [sìvəlizéiʃən]	명 문명 (사회), 높은 교양	이집트 고대 문명	Egypt's ancient ___________
28	**populate** [pάpjulèit]	동 살다, 이주시키다	많은 사람들이 사는 도시	a heavily ___________d city
	population [pὰpjuléiʃən]	명 인구, 주민	인구 성장률	___________ growth

TIP popul-/publ-이 앞에 붙으면 '사람들'과 관련된 뜻. e.g. **popul**ar(대중의), **publ**ic(공공의)

No.	Word	Meaning	Korean phrase	Example
29	**locate** [lóukeit]	동 (특정 위치에) 두다, (위치 등을) 찾아내다	지도에서 장소를 찾아내다	___________ a place on a map
	location [loukéiʃən]	명 위치, 장소, 지역	부산의 정확한 위치	the exact ___________ of Busan

발음+짤강

30	**invade** [invéid]	동 침략하다, 침입하다	다른 나라를 침략하다	________ other countries
	invasion [invéiʒən]	명 침략, 침해	사생활 침해	________ of privacy

TIP invade의 끝에 -ion이 붙어 명사가 될 때 d가 s가 되는 것에 유의.

31	**inherit** [inhérit]	동 상속받다, 물려받다	재산을 상속받다	________ an estate
	inheritance [inhérətəns]	명 유산, 상속, 유전	우리 문화유산	our cultural ________
32	**diverse** [divə́ːrs]	형 다양한	다양한 문화권	a ________ range of cultures
	diversity [divə́ːrsəti]	명 다양성	민족의 다양성	ethnic ________
33	**major** [méidʒər]	형 주요한, 중대한, 전공의 명 전공, 소령	중대한 문제들에 직면하다	encounter ________ problems
	majority [mədʒɔ́ːrəti]	명 다수, 과반수, 득표 차	과반수를 획득하다	gain a ________
34	**minor** [máinər]	형 소수의, 중요하지 않은 명 미성년자, 부전공	소수당	a ________ party
	minority [minɔ́ːrəti]	명 소수, 소수 집단, 미성년	소수 집단의 언어들	________ languages
35	**conquer** [káŋkər]	동 정복하다, 물리치다	세계를 정복하다	________ the world
	conquest [kánkwest]	명 정복, 승리, 점령지	군사 정복	military ________
36	**tradition** [trədíʃən]	명 전통, 관습	전통을 깨다	break with ________
	traditional [trədíʃənl]	형 전통의, 전통적인	전통적인 가치관	________ values
37	**convention** [kənvénʃən]	명 관습, 협약	사회적 관습	social ________
	conventional [kənvénʃənl]	형 관습적인, 전통적인	관습적인 방식	________ methods
38	**colony** [káləni]	명 식민지, 거주지	과거 프랑스 식민지	a former French ________
	colonial [kəlóuniəl]	형 식민지의	식민 지배에 맞서 싸우다	fight against ________ rule

STEP 3

Review

A 예비 영단어 또는 우리말 뜻 쓰기

1. antique	________	9. 협회, 유대, 연관	________
2. noble	________	10. 개척자, 선구자; 개척하다	________
3. invasion	________	11. 10년(간)	________
4. populate	________	12. 앞서다, 선행하다	________
5. colony	________	13. 범위, (사정) 거리; 이르다	________
6. convention	________	14. 고도, 해발, 고지	________
7. diversity	________	15. 소수, 소수 집단, 미성년	________
8. civilize	________	16. 태도, 자세, 마음가짐	________

B 기본 덩어리 표현 완성하기

1. 개인 윤리 문제	an issue of personal ________	9. 잡지의 최근 호	a ________ issue of the magazine
2. 부산의 정확한 위치	the exact ________ of Busan	10. 고대 로마 시대	the ________ Roman period
3. 다른 관점에서	from a different ________	11. 금기를 깨다	break a ________
4. 인구 성장률	________ growth	12. 과반수를 획득하다	gain a ________
5. 7대륙 5대양	seven ________s and five oceans	13. 문화의 여러 측면	different ________s of culture
6. 세계를 정복하다	________ the world	14. 기념비를 세우다	erect a ________
7. 문화 교육을 지속하다	________ cultural education	15. 식민 지배에 맞서 싸우다	fight against ________ rule
8. 원시 사회	a ________ society	16. 교훈을 이끌어내다	________ lessons

▶ 정답 p. 198

C 내신 기출 유형 밑줄 친 단어와 의미가 같은 표현 고르기

선택지 단어 뜻 쓰며 더블 체크!

1. That was a significant event in the history of our nation.

① a primitive ② a considerable ③ an insignificant ④ an associate

2. The French had invaded Mexico to set it up as part of their colonial empire.

① occupied ② continued ③ pioneered ④ inherited

3. After reading the article, they planned to visit the city's architectural inheritance.

① aspect ② civilization ③ continent ④ heritage

4. Traditional design differs greatly from modern design in the way it uses patterns.

① Major ② Conventional ③ Diverse ④ Taboo

D 수능 기출 유형 문맥상 알맞은 단어 고르기

1. (1) Pouring wine around the trees was their local [costume / custom].
   (2) People dressed in Baroque [costumes / customs] were walking in front of the castle.

2. (1) They began to [populate / precede] the island in the 15th century.
   (2) A lecture from the professor [populated / preceded] the documentary.

3. (1) He can trace his [ancestors / descendants] back to the country's early settlers.
   (2) In the case there are no lineal [ancestors / descendants], the throne passes to the nearest prince.

4. The country is a multicultural nation, home to a wide range of [ethnic / noble] groups and values.

5. The [geography / geology] of the area matches ancient descriptions of the location of the lost city.

DAY 17

STEP 1

Single Words

종교/철학

군더더기 없이 핵심에 집중

01 ★★★	**spirit** [spírit]	명 정신, 영혼, 마음, (특정한) 사람	정신력	the power of the ________
			마음속으로	in ________
02 ★★★	**absolute** [ǽbsəlùːt]	형 절대적인, 완전한, 확고한	절대 진리	________ truth
			완전히 확신하며	with ________ certainty
03 ★★☆	**profound** [prəfáund]	형 심오한, 깊은	삶에 대한 심오한 질문들	________ questions about life
			깊은 통찰을 주다	give ________ insights
04 ★☆☆	**everlasting** [èvərlǽstiŋ]	형 영원한, 끊임없는	영원한 생명	________ life
			그의 끊임없는 이야기를 참다	stand his ________ stories
05 ★★★	**ritual** [rítʃuəl]	명 (종교 등의) 의식, 제사 형 의식의	고대 의식	an ancient ________
			의식에서 추는 춤을 공연하다	perform a ________ dance
06 ★★★	**confess** [kənfés]	동 고백하다, 자백하다, 인정하다	그의 실패를 고백하다	________ his failure
			TIP	fess는 '말하다'라는 뜻. e.g. pro**fess**(단언하다, 고백하다)
07 ★★★	**worship** [wə́ːrʃip]	동 숭배하다, 예배를 드리다 명 숭배, 예배, 열렬한 사랑	우상을 숭배하다	________ an idol
			예배에 참석하다	attend ________
08 ★★☆	**sacred** [séikrid]	형 신성한, 종교적인	결혼은 신성한 결합이다.	Marriage is a ________ union.
			종교 음악	________ music
09 ★★☆	**foretell** [fɔːrtél]	동 예언하다, 예고하다	미래를 예언하다	________ the future
			TIP	어원 fore(…전에)+tell(말하다)='앞일을 미리 말하다'라는 뜻.
10 ★★☆	**superstition** [sùːpərstíʃən]	명 미신	일반적인 미신	a common ________
			미신을 타파하다	do away with ________

발음+짤강

공부한 날 1회 | 월 일 2회 | 월 일 3회 | 월 일

11 ★☆☆
absurd [æbsə́ːrd]
형 터무니없는, 불합리한
- 터무니없는 소리를 하다 — say something ________
- 불합리한 현실 — an ________ reality

12 ★★☆
forbid [fərbíd]
동 금지하다, 어렵게 하다
- 돼지고기 섭취를 금지하다 — ________ eating pork
- TIP 동사 변화형 forbid-forbade/forbad-forbidden

13 ★★☆
priest [priːst]
명 성직자
- 성직자가 되다 — become a ________
- 성직자를 후원하다 — support ________s

14 ★★☆
conscience [kάnʃəns]
명 양심, 의식
- 양심의 자유 — freedom of ________
- TIP 혼동어 conscious(의식하는, 의도적인)

15 ★★☆
skeptical [sképtikəl]
형 회의적인, 의심 많은
- 회의적인 표정 — a ________ look
- 의심이 많아 보이다 — appear ________

16 ★☆☆
subjective [səbdʒéktiv]
형 주관의, 주관적인, 개인의
- 대단히 주관적인 견해 — a highly ________ point of view
- 개인적인 감정들 — ________ feelings

17 ★★★
relevant [réləvənt]
형 관계가 있는, 적절한, 의의가 있는
- 제사와 관계가 있는 문제들 — issues ________ to ritual
- 적절한 정보를 제공하다 — provide ________ information

18 ★★☆
shallow [ʃǽlou]
형 얕은, 피상적인, 얄팍한
- 물이 꽤 얕다. — The water is quite ________.
- 매우 얄팍해 보이다 — seem very ________

19 ★★★
experience [ikspíəriəns]
명 경험, 체험
동 경험하다, 느끼다
- 영적인 경험 — a spiritual ________
- 직접 경험하다 — ________ firsthand

20 ★★☆
convince [kənvíns]
동 설득하다, 납득시키다
- 청중을 설득하다 — ________ the audience
- 내게 그녀의 잘못을 납득시키다 — ________ me of her error

DAY 17 | 종교/철학

STEP 2

Word Pairs

관련어 '쌍'으로 암기

알쏭달쏭 혼동어

No.	Word	Meaning	Korean	Phrase
21	**pray** [prei]	동 기도하다, 기원하다	신에게 기도하다	_______ to God
	prey [prei]	명 먹이, 희생자 동 잡아먹다	먹이를 찾아	in search of _______
22	**momentary** [móuməntèri]	형 순간적인, 찰나의	찰나의 기쁨	a _______ joy
	momentous [mouméntəs]	형 중대한, 중요한	중대한 경험	the _______ experience

TIP 모두 moment(순간, 중요성)에서 파생된 형용사, momentary는 극도로 짧아 시간으로 느끼지 못할 정도의 순간을 의미.

No.	Word	Meaning	Korean	Phrase
23	**moral** [mɔ́:rəl]	형 도덕의, 도의상의 명 도덕, 교훈	도덕적 가치관	_______ values
	morale [mərǽl]	명 사기, 의욕	사기를 북돋우다	boost _______

비슷한 뜻 유의어

No.	Word	Meaning	Korean	Phrase
24	**practical** [prǽktikəl]	형 실용적인, 실질적인, 현실적인	현실적인 조언	_______ advice
	realistic [rì:əlístik]	형 현실적인, 사실주의의	사실주의 그림을 창작하다	create _______ paintings
25	**ambiguous** [æmbígjuəs]	형 애매모호한	애매모호한 태도를 갖다	have an _______ attitude
	vague [veig]	형 애매한, 희미한	그의 애매한 신념들	his _______ beliefs

반대의 뜻 반의어

No.	Word	Meaning	Korean	Phrase
26	**mortal** [mɔ́:rtl]	형 죽을 운명의, 치명적인 명 (힘없는 보통) 사람, 인간	우리 모두 죽게 되어 있다.	We are all _______.
	immortal [imɔ́:rtl]	형 불멸의, 영구적인 명 죽지 않는 존재	불멸의 영혼	an _______ soul

살짝 바꾼 파생어

No.	Word	Meaning	Korean	Phrase
27	**exist** [igzíst]	동 존재하다, 있다, 살다	상상 속에 존재하다	_______ in imaginations
	existence [igzístəns]	명 존재, 현존, 실존	영혼의 존재	the _______ of spirits
28	**eternal** [itə́:rnəl]	형 영원한, 끊임없는	영원한 축복	_______ bliss
	eternity [itə́:rnəti]	명 영원, 영겁, 아주 오랜 시간	영원히	for all _______
29	**philosophy** [filɑ́səfi]	명 철학, 사상	철학 학위를 취득하다	earn a degree in _______
	philosopher [filɑ́səfər]	명 철학자	그리스 철학자 Aristotle(아리스토텔레스)	the Greek _______ Aristotle

30	**destined** [déstind]	형 …할 운명인, …로 향하는	성직자가 될 운명인	________ to be a priest
	destiny [déstəni]	명 운명	비극적 운명	a tragic ________
31	**logic** [ládʒik]	명 논리(학)	논리의 비약	a jump of ________
	logical [ládʒikəl]	형 논리적인, 타당한	논리적 사고를 발전시키다	develop ________ thinking

TIP log는 '말'이라는 뜻. e.g. apo**log**y(사과, 사죄), dia**log**(대화)

32	**myth** [miθ]	명 신화, 근거 없는 믿음	창조 신화	a creation ________
	mythological [miθəládʒikəl]	형 신화의	신화적 세계관	a ________ world view
33	**substance** [sʌ́bstəns]	명 실체, 본질, 물질	Descartes(데카르트)의 실체에 관한 이론	Descartes' theory of ________
	substantial [səbstǽnʃəl]	형 실체의, 본질적인, 상당한	상당한 변화를 보이다	show a ________ change
34	**instinct** [ínstiŋkt]	명 본능, 직감	인간의 본능을 무시하다	ignore human ________s
	instinctive [instíŋktiv]	형 본능적인, 직관적인	본능적인 감각	an ________ sense
35	**reason** [ríːzn]	명 이성, 이유, 근거 동 판단하다, 추론하다	이성에 근거하여	based on ________
	reasonable [ríːzənəbl]	형 합리적인, 타당한, 이성적인	합리적인 결정	a ________ decision
36	**religion** [rilídʒən]	명 종교, 신앙	종교에 의지하다	depend on ________
	religious [rilídʒəs]	형 종교의, 독실한	종교 의식	________ rituals
37	**faith** [feiθ]	명 신앙, 믿음	신에 대한 믿음을 갖다	have ________ in God
	faithful [féiθfəl]	형 독실한, 충실한, 신의 있는	독실한 신자	________ believer
38	**ultimate** [ʌ́ltəmət]	형 궁극적인, 근본적인, 최종의	근본적인 진리들	the ________ truths
	ultimately [ʌ́ltəmətli]	부 근본적으로, 마침내, 결국	결국 그 조건들을 받아들이다	________ accept the terms

STEP 3
Review

A 예비 영단어 또는 우리말 뜻 쓰기

1. mythological	________	9. 미신	________
2. conscience	________	10. 존재, 현존, 실존	________
3. forbid	________	11. 논리(학)	________
4. philosophy	________	12. 고백하다, 자백하다, 인정하다	________
5. eternity	________	13. 터무니없는, 불합리한	________
6. substance	________	14. 본능, 직감	________
7. ultimately	________	15. 관계가 있는, 적절한	________
8. destined	________	16. 숭배하다, 예배를 드리다; 숭배	________

B 기본 덩어리 표현 완성하기

1. 찰나의 기쁨	a ________ joy	9. 이성에 근거하여	based on ________
2. 비극적 운명	a tragic ________	10. 먹이를 찾아	in search of ________
3. 절대 진리	________ truth	11. 청중을 설득하다	________ the audience
4. 본능적인 감각	an ________ sense	12. 마음속으로	in ________
5. 창조 신화	a creation ________	13. 미래를 예언하다	________ the future
6. 성직자가 되다	become a ________	14. 대단히 주관적인 견해	a highly ________ point of view
7. 회의적인 표정	a ________ look	15. 사실주의 그림을 창작하다	create ________ paintings
8. 영적인 경험	a spiritual ________	16. 매우 얄팍해 보이다	seem very ________

▶ 정답 p. 198

C 내신 기출 유형 밑줄 친 단어와 의미가 같은 표현 고르기

선택지 단어 뜻 쓰며 더블 체크!

1. He thought the priest's explanation perfectly reasonable.

   ① logical ② religious ③ faithful ④ moral

2. We were confused by the ambiguous wording of the message.

   ① profound ② shallow ③ absurd ④ vague

3. They have been like a dream, an everlasting dream that will never end.

   ① absolute ② eternal ③ instinctive ④ ultimate

4. She has concentrated on the practical uses of philosophy in everyday life.

   ① skeptical ② realistic ③ subjective ④ relevant

D 수능 기출 유형 문맥상 알맞은 단어 고르기

1. (1) The bird circled above looking for [praying / prey].
   (2) I went to the local church, and [prayed / preyed] to God for help.

2. (1) The author avoided making [moral / morale] judgments in his book.
   (2) The soccer team is playing well and their [moral / morale] is high.

3. (1) He is right to say that this is the most [momentary / momentous] election of our lifetimes.
   (2) Eating fast food may give you [momentary / momentous] pleasure, but the effects will last for a long time.

4. Maybe my work is not [immortal / mortal], but it will live for a while.

5. He was worried, but he [confessed / convinced] to his wife that he had sold his wedding ring.

DAY 18 여행/여가

STEP 1
Single Words
군더더기 없이 핵심에 집중

01 ★★★	**destination** [dèstənéiʃən]	명 목적지, 행선지	우리의 마지막 목적지에 다다르다	reach our final ________
			인기 있는 관광지	a popular tourist ________
02 ★★☆	**pack** [pæk]	동 (짐을) 싸다, 포장하다 명 꾸러미, 배낭, 떼	여행을 위해 옷을 싸다	________ clothes for a trip
			TIP	보통 '우유 한 팩(pack)'이라는 표현을 쓰는데, 영어로는 a carton of milk가 올바른 표현. carton은 '(음식이나 음료를 담는) 통'이라는 뜻.
03 ★★★	**flexible** [fléksəbl]	형 탄력적인, 구부릴 수 있는	탄력적인 여행 일정	a ________ schedule for travel
			구부릴 수 있는 전화기를 소개하다	introduce a ________ phone
04 ★★★	**landscape** [lǽndskèip]	명 풍경(화), 전망, 지형	자연 경관을 즐기다	enjoy the natural ________
			풍경화를 그리다	paint ________s
05 ★★★	**chase** [tʃeis]	동 뒤쫓다, 추구하다 명 추적, 추구	토끼를 뒤쫓다	________ rabbits
			TIP	유의어 pursue(추구하다, 뒤쫓다), pursuit(추구, 추격)
06 ★☆☆	**mount** [maunt]	동 오르다, 증가하다 명 산	계단을 오르다	________ the steps
			에베레스트 산	________ Everest
07 ★★☆	**posture** [pástʃər]	명 자세, 태도, 마음가짐 동 자세를 취하다	내 자세를 교정하다	correct my ________
			카메라 앞에서 자세를 취하다	________ before the camera
08 ★★★	**exchange** [ikstʃéindʒ]	동 교환하다, 환전하다 명 교환, 환전	유로를 달러로 환전하다	________ euros for dollars
			일대일 교환	one-to-one ________
09 ★☆☆	**stroll** [stroul]	동 산책하다, 거닐다 명 산책, 거닐기	거리를 따라 거닐다	________ along the street
			산책하다	have a ________
10 ★★☆	**expedition** [èkspədíʃən]	명 탐험(대), 원정, (목적이 있는 짧은) 여행	탐험대를 이끌다	lead an ________
			쇼핑 여행을 가다	go on a shopping ________

공부한 날 1회 | 월 일 2회 | 월 일 3회 | 월 일

11 ★★☆	**foreign** [fɔ́:rən]	형 외국의, 대외적인	외국인 관광객	a ________ tourist
			대외 무역을 수행하다	conduct ________ trade
12 ★★★	**exotic** [igzátik]	형 이국적인, 외래의, 다른 나라에서 온	이국적인 분위기를 만들다	create an ________ mood
			외래 꽃들	________ flowers
13 ★★☆	**brochure** [brouʃúər]	명 브로슈어, 안내 책자	여행 안내 책자를 훑어보다	look through a travel ________
			TIP 작고 얇은 책자나 잡지 형태로 보통 사진이나 그림과 함께 제품이나 장소 등에 관한 정보를 싣고 있음.	
14 ★★☆	**summit** [sʌ́mit]	명 정상, 정점, 정상 회담	정상에서 보는 전망	the view from the ________
			그의 경력의 정점	the ________ of his career
15 ★★☆	**steep** [sti:p]	형 가파른, 급격한, (가격·요구 등이) 터무니없는	가파른 경사를 오르다	climb a ________ slope
			터무니없는 세금	a ________ tax
16 ★★☆	**cliff** [klif]	명 절벽, 벼랑, 낭떠러지	가파른 절벽으로 유명한	famous for a steep ________
			벼랑 끝	the edge of a ________
17 ★☆☆	**souvenir** [sù:vəníər]	명 기념품, 선물, 추억	기념품 가게	a ________ shop
			선물을 사다	buy a ________
18 ★★★	**typical** [típikəl]	형 전형적인, 대표적인	전형적인 이탈리아 식당	a ________ Italian restaurant
			대표적인 10대의 취미들	________ teenage hobbies
19 ★★★	**resort** [rizɔ́:rt]	명 휴양지, 리조트, 의지 동 의지하다	휴양 도시	a ________ town
			자가 치료에 의지하다	________ to self-treatment
20 ★★★	**recover** [rikʌ́vər]	동 회복하다, 되찾다	긴 여행에서 회복하다	________ from a long trip
			TIP re-가 앞에 붙으면 '다시'와 관련된 뜻. e.g. **re**cycle(재활용하다), **re**place(교체하다)	

STEP 2
Word Pairs
관련어 '쌍'으로 암기

알쏭달쏭 혼동어

21	spectacle [spéktəkl]	명 광경, 장관, 구경거리	숨 막힐 정도의 장관	a stunning ________
	spectacles [spéktəkəlz]	명 안경	안경을 쓰다	wear ________

TIP spect는 '보다'라는 뜻. e.g. in**spect**(점검하다, 검열하다), pro**spect**(관점, 시각, 견해)
spectacles는 glasses(안경)보다 격식 있는 표현.

22	mean [miːn]	동 의미하다, 의도하다	해칠 의도가 없다	________ no harm
	means [miːnz]	명 수단, 방법, 재력	여행 수단	________ of traveling
23	remain [riméin]	동 남아 있다, 머무르다, 여전히 …이다	외국에 머무르다	________ abroad
	remains [riméinz]	명 남은 것, 유물, 유적	선사 시대의 유적	prehistoric ________
24	suite [swiːt]	명 (호텔 등의) 스위트룸, (가구·용품 등의) 세트	고급 스위트룸을 예약하다	book an executive ________
	suit [suːt]	명 정장, 소송	정장을 입다	put on a ________

반대의 뜻 반의어

25	forgettable [fərgétəbl]	형 잊혀지기 쉬운	잊혀지기 쉬운 노래	a ________ song
	unforgettable [ʌ̀nfərgétəbl]	형 잊지 못할, 잊을 수 없는	잊지 못할 추억들	________ memories
26	remote [rimóut]	형 먼, 외딴, 원격의	먼 지역	________ areas
	nearby [nìərbái]	형 인근의, 가까운 곳의 부 근처에	인근 호텔에 묵다	stay at a ________ hotel

살짝 바꾼 파생어

27	relax [rilǽks]	동 편히 쉬다, 긴장을 풀다	편히 쉬고 즐겨라.	________ and enjoy yourself.
	relaxation [rìːlækséiʃən]	명 휴식, 기분 전환	기분 전환을 위해 농구를 하다	play basketball for ________
28	accommodate [əkɑ́mədèit]	동 수용하다, 공간을 제공하다, (환경 등에) 맞추다	투숙객을 50명까지 수용하다	________ up to 50 guests
	accommodation [əkɑ̀mədéiʃən]	명 숙소, 숙박 (시설), 편의	일류 숙박 시설	high-class ________
29	reserve [rizə́ːrv]	동 예약하다, 따로 남겨 두다 명 비축물, 보호 구역	티켓을 예약하다	________ a ticket
	reservation [rèzərvéiʃən]	명 예약, 보류	예약을 취소하다	cancel a ________

30	**exhausted** [igzɔ́:stid]	형 기진맥진한, 지친, 다 써버린	완전히 지치다	feel utterly ______________
	exhaustion [igzɔ́:stʃən]	명 기진맥진, 탈진, 소진	탈진으로 고통 받다	suffer from ______________
31	**excite** [iksáit]	동 흥분시키다, (반응·감정 등을) 일으키다	호기심을 일으키다	______________ curiosity
	excitement [iksáitmənt]	명 흥분, 신나는 일	흥분으로 가득 찬 여행	a trip filled with ______________
32	**require** [rikwáiər]	동 필요로 하다, 요구하다	주의를 필요로 하다	______________ attention
	requirement [rikwáiərmənt]	명 요구, 필요한 것, 필요조건	여행 필수품	travel ______________s
33	**wild** [waild]	형 야생의, 거친, 격렬한	야생 동물	______________ animals
	wilderness [wíldərnis]	명 황야, (야생의) 자연	황야에서 야영을 하다	camp in the ______________
34	**expend** [ikspénd]	동 들이다, 쓰다, 소비하다	시간과 노력을 들이다	______________ time and effort
	expense [ikspéns]	명 비용, 경비, 지출	탐험 경비	expedition ______________s
35	**voyage** [vɔ́iidʒ]	명 항해, 여행 동 항해하다, 여행하다	항해를 떠나다	leave on a ______________
	voyager [vɔ́iidʒər]	명 항해자, 여행자	항해자들이 세계를 보기 위해 나아가다.	______________s sail to see the world.

TIP voyage는 '(먼 나라·땅으로의 긴) 항해나 여행'을 의미하며 '비행기나 우주 여행'의 의미로도 씀.

36	**athlete** [ǽθli:t]	명 운동선수	천부적인 재능을 지닌 운동선수	a naturally gifted ______________
	athletic [æθlétik]	형 운동선수의, 경기의	운동회를 열다	hold an ______________ meeting
37	**region** [rí:dʒən]	명 지역, 지방, 영역	스페인의 안달루시아 지역	the Andalucia ______________ of Spain
	regional [rí:dʒənl]	형 지역의, 지방의	지역의 기념품	a ______________ souvenir
38	**adventure** [ædvéntʃər]	명 모험, 도전	대담한 모험을 준비하다	get ready for a bold ______________
	adventurous [ədvéntʃərəs]	형 모험을 좋아하는, 모험심이 강한	모험심이 강한 항해자들	______________ voyagers

STEP 3

Review

A 예비 영단어 또는 우리말 뜻 쓰기

1. mean ____________
2. suite ____________
3. exhausted ____________
4. requirement ____________
5. excite ____________
6. exchange ____________
7. remote ____________
8. reservation ____________
9. 탄력적인, 구부릴 수 있는 ____________
10. 휴식, 기분 전환 ____________
11. 정상, 정점, 정상 회담 ____________
12. 수단, 방법, 재력 ____________
13. 숙소, 숙박 (시설), 편의 ____________
14. 운동선수 ____________
15. 항해자, 여행자 ____________
16. 남은 것, 유물, 유적 ____________

B 기본 덩어리 표현 완성하기

1. 주의를 필요로 하다 ____________ attention
2. 지역의 기념품 a ____________ souvenir
3. 가파른 절벽으로 유명한 famous for a steep ____________
4. 여행을 위해 옷을 싸다 ____________ clothes for a trip
5. 토끼를 뒤쫓다 ____________ rabbits
6. 대표적인 10대의 취미들 ____________ teenage hobbies
7. 산책하다 have a ____________
8. 잊혀지기 쉬운 노래 a ____________ song
9. 야생 동물 ____________ animals
10. 대외 무역을 수행하다 conduct ____________ trade
11. 인기 있는 관광지 a popular tourist ____________
12. 긴 여행에서 회복하다 ____________ from a long trip
13. 계단을 오르다 ____________ the steps
14. 투숙객을 50명까지 수용하다 ____________ up to 50 guests
15. 대담한 모험을 준비하다 get ready for a bold ____________
16. 외국에 머무르다 ____________ abroad

▶ 정답 p. 199

C 내신 기출 유형 밑줄 친 단어와 의미가 같은 표현 고르기

선택지 단어 뜻 쓰며 더블 체크!

1. They set off to go on an expedition to the North Pole in early April.

① a voyage ② a relax ③ a posture ④ a destination

2. Som Tom is a typical Thai dish that is widely known internationally.

① a standard ② an exotic ③ a nearby ④ an adventurous

3. Exhausted and hungry, the hunters finally gave up chasing foxes.

① strolling ② recovering ③ pursuing ④ expending

4. Friendly staff at the regional information center are always ready to give advice.

① foreign ② local ③ wild ④ flexible

D 수능 기출 유형 문맥상 알맞은 단어 고르기

1. (1) The executive [suit / suite] is on the top floor.
   (2) He wore his gray [suit / suite] to the job interview.

2. (1) The tower will be built at public [exchange / expense].
   (2) She was going to study in Switzerland as an [exchange / expense] student.

3. (1) They do not follow emotion but [reserve / resort] to reason when they make a decision.
   (2) Groups can book the entire boat for events; individuals can also [reserve / resort] a table.

4. He handed me a pair of [spectacle / spectacles] with thick black frames.

5. The [means / remains] of an Aztec temple and a ball court have been found in Mexico City.

DAY 19 신체/건강

STEP 1 Single Words

군더더기 없이 핵심에 집중

01 ★★★	**examine** [igzǽmin]	동 진찰하다, 조사하다	환자를 진찰하다	________ the patient
			그녀의 여권을 조사하다	________ her passport
02 ★☆☆	**outlive** [àutlív]	동 …보다 오래 살다, …보다 오래 지속되다	그의 친구들보다 오래 살다	________ his friends
			그것의 유용성보다 오래 지속되다 (쓸모없는 상태가 되다)	________ its usefulness
03 ★★☆	**decay** [dikéi]	명 부패, 충치, 쇠퇴 동 썩다, 부패하다	충치	tooth ________
			TIP 어원 de(아래로)+cay(떨어지다)='썩거나 부패해 내려앉다'라는 의미에서 나온 뜻.	
04 ★★★	**wound** [wu:nd]	명 상처, 부상 동 상처를 입히다	치명상을 입다	suffer a mortal ________
			팔에 상처를 입은	________ed in the arm
05 ★★★	**stroke** [strouk]	명 타격, 뇌졸중, 발작 동 쓰다듬다	뇌졸중을 일으키다	have a ________
			고양이를 쓰다듬다	________ a cat
06 ★★☆	**acute** [əkjú:t]	형 극심한, 급성의, 예리한	극심한 통증을 치료하다	treat ________ pain
			급성 심장 질환	________ heart disease
07 ★★☆	**bleed** [bli:d]	동 피를 흘리다, (물·공기 등을) 빼내다	코피를 흘리다	________ from the nose
			TIP 동사 변화형 bleed-bled-bled	
08 ★★☆	**faint** [feint]	형 어지러운, 희미한 동 기절하다	어지러움을 느끼다	feel ________
			배고픔으로 기절하다	________ from hunger
09 ★★★	**pregnant** [prégnənt]	형 임신한, 가득 찬	임신하다	get ________
			가능성으로 가득 찬	________ with possibilities
10 ★★☆	**fatigue** [fətí:g]	명 피로, 피곤	정신적 피로	mental ________
			피곤의 결과	the result of ________

공부한 날 1회 | 월 일 2회 | 월 일 3회 | 월 일

No.	Word	Meaning	Example (Korean)	Example (English)
11 ★★★	**stretch** [stretʃ]	동 쭉 펴다, 늘이다 명 뻗음, 스트레칭	다리를 쭉 펴다	________ out one's legs
			늘어지게 스트레칭을 하다	have a good ________
12 ★★☆	**scar** [skaːr]	명 상처, 흉터 동 상처(흉터)를 남기다	화상 흉터	a burn ________
			그에게 감정적으로 상처를 남기다	________ him emotionally
13 ★★☆	**pharmacy** [fáːrməsi]	명 약국, 약품, 약학	약국에 가다	go to the ________
			TIP	pharmacy는 처방약을 조제하거나 판매하는 곳을 가리키고 drugstore(드러그스토어)는 약뿐만 아니라 화장품이나 잡화 등도 함께 판매하는 곳을 나타냄.
14 ★★★	**pill** [pil]	명 알약	두통약	a headache ________
			비타민 알약을 먹다	take a vitamin ________
15 ★★★	**abuse**	[əbjúːs] 명 남용, 학대 [əbjúːz] 동 남용하다, 학대하다	약물 남용	substance ________
			TIP	어원 ab(벗어나)+use(사용하다)='허용된 기준을 넘어 사용하다'라는 의미에서 나온 뜻.
16 ★★☆	**chronic** [kránik]	형 만성적인, 고질적인	만성 피로	________ fatigue
			고질적인 문제	a ________ problem
17 ★☆☆	**diabetes** [dàiəbíːtiːs]	명 당뇨병	당뇨병에 걸리다	develop ________
			당뇨병으로 쓰러지다	collapse due to ________
18 ★☆☆	**spine** [spain]	명 척추, 등뼈, 가시	척추를 쭉 펴다	stretch the ________
			등골이 오싹해지는 광경	a ________-chilling sight
19 ★☆☆	**kidney** [kídni]	명 신장, 콩팥	인공 신장	an artificial ________
			신장 기증자를 찾다	look for a ________ donor
20 ★★★	**pale** [peil]	형 창백한, 옅은	창백해지다	turn ________
			옅은 푸른색 눈	________ blue eyes

STEP 2
Word Pairs
관련어 '쌍'으로 암기

알쏭달쏭 혼동어

No.	Word	Meaning	Phrase	Example
21	**strain** [strein]	명 긴장, 압박, 접질리기 동 (근육 등을) 혹사하다, 접질리다	긴장을 완화시키다	relieve the ______
	sprain [sprein]	동 (손목·발목 등을) 삐다, 접질리다	발목을 삐다	______ one's ankle
22	**heal** [hi:l]	동 치료하다, 낫다	상처를 치료하다	______ a wound
	heel [hi:l]	명 발뒤꿈치, 굽, 하이힐	높은 굽	high ______s

반대의 뜻 반의어

No.	Word	Meaning	Phrase	Example
23	**overweight** [òuvərwéit]	형 과체중의, 중량 초과의	과체중이 되다	become ______
	underweight [ʌ̀ndərwéit]	형 표준 체중 이하의	표준 체중 이하의 아이	an ______ child
24	**regular** [régjulər]	형 규칙적인, 정규의	정기 건강 검진을 받다	have ______ check-ups
	irregular [irégjulər]	형 불규칙적인, 비정규의	불규칙적인 생활 방식	an ______ lifestyle

살짝 바꾼 파생어

No.	Word	Meaning	Phrase	Example
25	**infect** [infékt]	동 감염시키다, 오염되다	우리 주변의 사람들을 감염시키다	______ the people around us
	infection [infékʃən]	명 감염, 전염병, 오염	바이러스 감염	a virus ______

TIP 어원 in(안에)+fect(넣다)='병균이 안에 들어가다'라는 의미에서 나온 뜻.

No.	Word	Meaning	Phrase	Example
26	**prescribe** [priskráib]	동 처방하다, 규정하다	알약을 처방하다	______ a pill
	prescription [priskrípʃən]	명 처방(전), 규정	처방전을 작성하다	fill a ______
27	**tense** [tens]	형 긴장한, 신경이 날카로운 명 시제	걱정으로 긴장한	______ with anxiety
	tension [ténʃən]	명 긴장 (상태), 팽팽함	목의 긴장	neck ______
28	**immune** [imjú:n]	형 면역이 된, 면제의	면역 체계	the ______ system
	immunity [imjú:nəti]	명 면역(력), 면제	면역력이 생기다	build up ______
29	**obese** [oubí:s]	형 비만의, 뚱뚱한	매우 비만인 젊은 남성	a hugely ______ young man
	obesity [oubí:səti]	명 비만, 비대	비만율	the ______ rate

30	**injure** [indʒər]	동 부상을 입다(입히다), (감정·명예 등을) 해치다	그의 팔에 부상을 입다	______ his arm
	injury [indʒəri]	명 부상, (마음의) 상처	부상을 면하다	escape ______
31	**therapy** [θérəpi]	명 치료, 요법	약물 치료를 받다	receive drug ______
	therapist [θérəpist]	명 치료사	언어 치료사	a speech ______
32	**symptom** [símptəm]	명 증상, 징후	전형적인 증상	a typical ______
	symptomatic [sìmptəmǽtik]	형 증상을 보이는	말라리아 증상을 보이는	______ of malaria
33	**medicine** [médəsin]	명 약, 의학, 의술	약을 먹다	take some ______
	medical [médikəl]	형 의료의, 내과의	의료 기록	______ records
34	**remedy** [rémədi]	명 치료(약), 해결책 동 치료하다, 바로잡다	기침 치료약	a ______ for a cough
	remedial [rimíːdiəl]	형 치료하는, 교정하는	재활 치료 운동	a ______ exercise
35	**muscle** [mʌ́sl]	명 근육, 근력, 압력	근육을 혹사하다	strain a ______
	muscular [mʌ́skjulər]	형 근육의, 강력한	근육의 긴장	______ tension
36	**addict** [ǽdikt]	명 중독자	게임 중독자	a game ______
	addicted [ədíktid]	형 중독된, 빠져 있는	소셜 미디어에 빠져 있는	______ to social media
37	**agony** [ǽgəni]	명 고통, 괴로움, 고뇌	끝없는 고통	endless ______
	agonize [ǽgənàiz]	동 괴로워하다, 고뇌하다	결정을 두고 고뇌하다	______ over a decision
38	**breath** [breθ]	명 숨, 호흡	심호흡을 하다	take a deep ______
	breathe [briːð]	동 호흡하다, (생기 등을) 불어넣다	천천히 숨을 들이쉬고 내쉬다	______ slowly in and out

TIP 명사 breath의 끝에 e만 붙어 동사 breathe가 되는 것에 유의.

STEP 3

Review

A 예비 영단어 또는 우리말 뜻 쓰기

1. acute ______
2. chronic ______
3. remedial ______
4. obese ______
5. agonize ______
6. heel ______
7. pale ______
8. examine ______
9. 어지러운, 희미한; 기절하다 ______
10. 근육의, 강력한 ______
11. 증상, 징후 ______
12. 처방하다, 규정하다 ______
13. 중독된, 빠져 있는 ______
14. 감염시키다, 오염되다 ______
15. 면역(력), 면제 ______
16. 척추, 등뼈, 가시 ______

B 기본 덩어리 표현 완성하기

1. 약물 남용 — substance ______
2. 충치 — tooth ______
3. 심호흡을 하다 — take a deep ______
4. 표준 체중 이하의 아이 — an ______ child
5. 코피를 흘리다 — ______ from the nose
6. 정신적 피로 — mental ______
7. 언어 치료사 — a speech ______
8. 임신하다 — get ______
9. 그의 친구들보다 오래 살다 — ______ his friends
10. 근육을 혹사하다 — strain a ______
11. 의료 기록 — ______ records
12. 당뇨병에 걸리다 — develop ______
13. 불규칙적인 생활 방식 — an ______ lifestyle
14. 약국에 가다 — go to the ______
15. 인공 신장 — an artificial ______
16. 말라리아 증상을 보이는 — ______ of malaria

▶ 정답 p. 199

C 내신 기출 유형 밑줄 친 단어와 의미가 같은 표현 고르기

선택지 단어 뜻 쓰며 더블 체크!

1. She repeated the same mistake under the strain.
   ① sprain ② tension ③ decay ④ muscle

2. He could not stand the agony of a severe headache for long.
   ① suffering ② pharmacy ③ infection ④ spine

3. The remedy was given in different strengths to each patient.
   ① therapy ② obesity ③ fatigue ④ diabetes

4. The man's head wound was the result of a motorcycle accident.
   ① pill ② addict ③ breath ④ injury

D 수능 기출 유형 문맥상 알맞은 단어 고르기

1. (1) The [stretch / stroke] left her right side permanently harmed.
   (2) The building is located on a straight [stretch / stroke] of road.

2. (1) The unbearable pain caused the man to [faint / infect] and fall to the ground.
   (2) Some patients who accepted a kidney transplant were [fainted / infected] with a virus.

3. (1) The FDA approved the new medicine that treats chronic and [acute / tense] pain.
   (2) The massage uses many techniques for relieving [acute / tense] muscles and relaxing tight areas in the body.

4. Unfortunately, we all get a slight [abuse / injury] from time to time.

5. The doctor says most people are [immune / remedial] to the disease through vaccination.

DAY 20 음식/영양

STEP 1
Single Words
군더더기 없이 핵심에 집중

01 ★★☆
edible [édəbl]
형 먹을 수 있는, 식용의
- 먹을 수 있는 버섯 — an ______________ mushroom
- 식용 식물을 캐다 — dig up ______________ plants

02 ★★☆
scent [sent]
명 냄새, 향기
동 냄새로 찾다, 냄새를 풍기다
- 맛있는 냄새 — a delicious ______________
- TIP odor(냄새, 악취)와 달리 주로 좋은 향기를 말하며 사람이나 동물 등의 체취를 가리킴.

03 ★★★
tender [téndər]
형 부드러운, 연한, 상냥한
- 부드러운 고기 — ______________ meat
- 상냥한 미소 — a ______________ smile

04 ★☆☆
fiber [fáibər]
명 섬유질, 식물 섬유, 섬유
- 섬유질이 많고 지방이 적은 — high in ______________ and low in fat
- 나일론 섬유 — nylon ______________

05 ★★★
nutrient [njúːtriənt]
명 영양소, 영양분
- 영양소의 불균형 — an imbalance of ______________s
- 중요한 영양분을 포함하다 — include important ______________s

06 ★★★
recipe [résəpi]
명 요리법, 레시피, 비결
- 새 요리법을 내놓다 — come up with a new ______________
- TIP recipe와 receipt 모두 약을 짓는 처방전이나 음식 조리법을 의미했었으나 현재는 recipe는 '음식의 조리법', receipt은 '영수증'의 뜻으로 쓰임.

07 ★★☆
component [kəmpóunənt]
명 성분, 구성 요소, 부품
- 식품 성분 — a food ______________
- 자동차 부품 회사 — a car ______________s firm

08 ★★★
stir [stəːr]
동 휘젓다, 섞다, 불러일으키다
- 차에 우유를 넣어 젓다 — ______________ milk into tea
- 상상력을 불러일으키다 — ______________ the imagination

09 ★★★
spill [spil]
동 흘리다, 쏟다, 엎지르다
명 유출
- 그녀의 블라우스에 커피를 쏟다 — ______________ coffee on her blouse
- 기름 유출 — an oil ______________

10 ★☆☆
leftover [léftòuvər]
명 남은 음식, 나머지, 잔재
형 먹다 남은
- 남은 음식을 냉동하다 — refrigerate any ______________s
- 먹다 남은 스파게티 — ______________ spaghetti

공부한 날 1회 | 월 일 2회 | 월 일 3회 | 월 일

11 ★★★	**flavor** [fléivər]	명 맛, 향, 풍미, 조미료	풍미를 높이다	enhance the ______
			인공 조미료	artificial ______s
12 ★★☆	**intake** [íntèik]	명 섭취(량), 흡입	적절한 일일 섭취량	adequate daily ______
			TIP	어원 in(안에)+take(취하다)='안으로 받아들이다'라는 뜻.
13 ★★★	**ingredient** [ingríːdiənt]	명 재료, 성분, 주요 요소	샐러드 재료	the ______s of a salad
			자연 성분을 이용하다	use natural ______s
14 ★★☆	**portion** [pɑ́ːrʃən]	명 부분, 몫, 1인분 / 동 분배하다, 나누다	감자튀김 1인분	a ______ of French fries
			음식을 분배하다	______ out food
15 ★☆☆	**vegetarian** [vèdʒətέəriən]	명 채식주의자 / 형 채식의	채식주의자가 되다	become a ______
			채식 요리법	______ recipes
16 ★★★	**grain** [grein]	명 곡물, 입자	곡물 저장소	a ______ store
			모래 입자들	______s of sand
17 ★☆☆	**cereal** [síəriəl]	명 시리얼, 곡류	시리얼 한 그릇을 먹다	have a bowl of ______
			곡류 작물	______ crops
18 ★★★	**cuisine** [kwizíːn]	명 요리, 요리법	대표적인 전통 요리	typical traditional ______
			TIP	cuisine은 주로 특정 나라나 문화의 요리를 나타내고 일반적으로는 food (음식, 식품)를 씀.
19 ★★★	**swallow** [swɑ́lou]	동 (음식 등을) 삼키다, (모욕 등을) 참다	사과를 통째로 삼키다	______ the apple whole
			모욕을 참다	______ an insult
20 ★★★	**ripe** [raip]	형 익은, 숙성한, 무르익은	익은 과일	______ fruit
			수확할 수 있을 정도로 무르익은	______ for the picking

STEP 2
Word Pairs
관련어 '쌍'으로 암기

알쏭달쏭 혼동어

21	**dessert** [dizə́:rt]	명 디저트, 후식	생과일 디저트	a fresh fruit ________
	desert [dézərt]	명 사막	사하라 사막을 횡단하다	cross the Sahara ________
22	**blend** [blend]	동 섞다, 섞이다 명 혼합, 조합	모든 재료를 섞다	________ all the ingredients
	bland [blænd]	형 단조로운, 자극적이지 않은	그것은 자극적이지 않은 맛이다(싱겁다).	It tastes ________.
23	**herb** [ə:rb]	명 허브, 약초	말린 허브	dried ________s
	hub [hʌb]	명 중심지	교통의 중심지	a traffic ________
24	**quality** [kwɑ́ləti]	명 품질, 양질, 특성 형 양질의	삶의 질을 높이다	raise ________ of life
	quantity [kwɑ́ntəti]	명 양, 수량	양보다 질	quality over ________

비슷한 뜻 유의어

25	**grind** [graind]	동 갈다, 빻다, 가루가 되다	곡물을 빻다	________ grain
	crush [krʌʃ]	동 으깨다, 찧다, 짜내다	비스킷을 잘게 으깨다	________ the biscuits finely
26	**request** [rikwést]	명 요청, 수요, 주문 동 요청하다	주문을 받다	receive a ________
	demand [dimǽnd]	명 요구, 수요 동 요구하다	수요를 충족시키다	meet the ________

살짝 바꾼 파생어

27	**digest** [didʒést] [dáidʒest]	동 소화하다, 이해하다 명 요약(문)	소화시킬 충분한 시간	enough time to ________
	digestion [didʒéstʃən]	명 소화, 이해	페퍼민트는 소화를 돕는다.	Peppermint aids ________.

TIP 어원 di(따로)+gest(운반하다)='(작게 잘라) 따로 나르다'라는 의미에서 나온 뜻.

28	**starve** [stɑ:rv]	동 굶주리다, 굶어 죽다, 굶기다	그들을 굶주리게 두다	leave them to ________
	starvation [stɑ:rvéiʃən]	명 굶주림, 궁핍, 결핍	굶어 죽다	die of ________
29	**vital** [váitl]	형 필수적인, 생명의, 활기 있는	건강에 필수적인	________ to good health
	vitality [vaitǽləti]	명 활력, 생명력	활력이 넘치는	full of ________

발음+짤강

No.	Word	Meaning	Korean phrase	English phrase
30	**contain** [kəntéin]	동 들어 있다, 포함하다	비타민 C가 들어 있다	____________ vitamin C
	container [kəntéinər]	명 그릇, 용기, 컨테이너	밀폐 용기	an airtight ____________
31	**squeeze** [skwiːz]	동 짜다, 짜내다	사과즙을 짜내다	____________ the juice from apples
	squeezer [skwíːzər]	명 압착기	레몬 압착기를 사용하는 방법	how to use a lemon ____________
32	**nutrition** [njuːtríʃən]	명 영양, 영양분, 음식물	충분한 영양	adequate ____________
	nutritious [njuːtríʃəs]	형 영양분이 풍부한	영양분이 풍부한 식사	____________ meals
33	**essence** [ésns]	명 (식물 등에서 추출한) 에센스, 진액, 본질	바닐라 에센스	vanilla ____________
	essential [isénʃəl]	형 필수적인, 본질적인 명 필수적인 것, 요점	필수 영양소	____________ nutrients
34	**allergy** [ǽlərdʒi]	명 알레르기, 과민 반응	치즈에 알레르기가 있다	have an ____________ to cheese
	allergic [ələ́ːrdʒik]	형 알레르기의	알레르기 증상	____________ symptoms
35	**greed** [griːd]	명 탐욕, 식탐	식탐 때문에 먹다	eat because of ____________
	greedy [gríːdi]	형 탐욕스러운, 게걸스러운	탐욕스러운 요구	a ____________ demand
36	**thirst** [θəːrst]	명 갈증, 갈망 동 목이 마르다	당신의 갈증을 해소하다	satisfy your ____________
	thirsty [θə́ːrsti]	형 목마른, 갈증이 난, 갈망하는	매우 목마르다	feel extremely ____________
37	**spice** [spais]	명 양념, 향신료 동 양념을 치다	음식에 양념을 하다	season food with ____________
	spicy [spáisi]	형 양념 맛이 강한, 매운	매운 맛	____________ flavors
38	**diet** [dáiət]	명 식사, 식습관 동 다이어트를 하다	균형 잡힌 식사	a well-balanced ____________
	dietary [dáiətèri]	형 음식물의, 식이 요법의	식이 섬유 음료	____________ fiber drink

TIP -y는 명사 끝에 붙어 '…이 가득한, …의 성질을 갖는'이라는 뜻의 형용사로 만듦.

STEP 3
Review

A 예비 영단어 또는 우리말 뜻 쓰기

1. vital ____________________
2. flavor ____________________
3. squeezer ____________________
4. ripe ____________________
5. allergy ____________________
6. nutrition ____________________
7. thirsty ____________________
8. quality ____________________
9. (식물 등에서 추출한) 에센스, 본질 ____________________
10. 흘리다, 엎지르다; 유출 ____________________
11. 부드러운, 연한, 상냥한 ____________________
12. 부분, 1인분; 분배하다 ____________________
13. 허브, 약초 ____________________
14. 굶주리다, 굶어 죽다 ____________________
15. 양념 맛이 강한, 매운 ____________________
16. (음식 등을) 삼키다, (모욕 등을) 참다 ____________________

B 기본 덩어리 표현 완성하기

1. 모래 입자들 ____________s of sand
2. 인공 조미료 artificial ____________s
3. 식이 섬유 음료 ____________ fiber drink
4. 채식 요리법 ____________ recipes
5. 음식에 양념을 하다 season food with ____________
6. 남은 음식을 냉동하다 refrigerate any ____________s
7. 균형 잡힌 식사 a well-balanced ____________
8. 활력이 넘치는 full of ____________
9. 밀폐 용기 an airtight ____________
10. 적절한 일일 섭취량 adequate daily ____________
11. 먹을 수 있는 버섯 an ____________ mushroom
12. 교통의 중심지 a traffic ____________
13. 맛있는 냄새 a delicious ____________
14. 영양분이 풍부한 식사 ____________ meals
15. 식탐 때문에 먹다 eat because of ____________
16. 알레르기 증상 ____________ symptoms

▶ 정답 p. 200

C 내신 기출 유형 밑줄 친 단어와 의미가 같은 표현 고르기

선택지 단어 뜻 쓰며 더블 체크!

1. Friends are the most important ingredient in the recipe of life.

① nutrient ② component ③ portion ④ cuisine

2. Take a glass bowl and squeeze out juice from a very ripe tomato.

① crush ② spill ③ contain ④ swallow

3. Water provides vital functions in our body and helps with removal of waste products.

① edible ② tender ③ essential ④ greedy

4. If you request the nutritional information of the menu, you'll be handed a printout about it.

① demand ② spice ③ thirst ④ digest

D 수능 기출 유형 문맥상 알맞은 단어 고르기

1. (1) Add some salt to taste if the food is too [bland / blend].
   (2) You can make purple when you [bland / blend] red and blue.

2. (1) The dry [desert / dessert] stretches for endless miles on all sides.
   (2) This Christmas pudding is a suitable [desert / dessert] with a festive mood.

3. (1) Continue to [grind / stir] the milk for 10 minutes trying to keep it around that temperature.
   (2) Knowing how to [grind / stir] coffee beans into a powder is the secret to excellent coffee.

4. It seems possible that trees may ultimately die from vitamin [digestion / starvation].

5. Education and technology have contributed to enhanced [quality / quantity] of human life.

DAY 21 수학/과학 기초

STEP 1

Single Words

군더더기 없이 핵심에 집중

No.	Word	Meaning	Example (Korean)	Example (English)
01 ★★★	**mixture** [míkstʃər]	명 혼합, 혼합물	밀가루와 달걀의 혼합	a ______ of flour and eggs
			기이한 혼합물	a curious ______
02 ★★★	**laboratory** [lǽbərətɔ̀:ri]	명 실험실, 연구실 형 실험(용)의	과학 실험실	a science ______
			실험용 쥐	______ rats
03 ★★★	**burst** [bəːrst]	동 터지다, 터뜨리다, 폭발하다 명 파열, 폭발, 돌발	화염으로 폭발하다	______ into flames
			TIP 동사 변화형 burst-burst-burst	
04 ★★☆	**toxic** [táksik]	형 유독한, 중독성의	유독성 물질	a ______ substance
			중독 증상	______ symptoms
05 ★★☆	**dissolve** [dizálv]	동 녹이다, 해산하다	소금을 물에 녹이다	______ salt in water
			당을 해산하다	______ the party
06 ★☆☆	**fluid** [flú:id]	명 (액체·기체 등의) 유동체 형 유동성의, 변하기 쉬운	물 같은 유동체	a watery ______
			TIP 어원 flu(흐르다)+id(상태)='흐르는 상태'라는 뜻.	
07 ★★★	**solid** [sálid]	형 고체의, 단단한, 견고한 명 고체, 고형물	견고한 토대 위에	on a ______ foundation
			고체로의 변환	change to a ______
08 ★★★	**liquid** [líkwid]	형 액체 (형태)의, 유동체의 명 액체	액체 형태의 질소	______ nitrogen
			액체와 고체	______s and solids
09 ★☆☆	**gravity** [grǽvəti]	명 (지구) 중력, 중대성, 심각성	Newton(뉴턴)의 중력 법칙	Newton's law of ______
			상황의 중대성	the ______ of the situation
10 ★★☆	**phenomenon** [finámənàn]	명 현상	자연 현상	a natural ______
			세계적인 현상이 되다	become a global ______

공부한 날 1회 | 월 일 2회 | 월 일 3회 | 월 일

11 ★★☆ **extract**	[ikstrǽkt] 동 추출하다, 빼내다, 발췌하다 [ékstrækt] 명 추출물, 발췌	수분을 빼내다	________ moisture
		인삼 추출물	ginseng ________
12 ★★☆ **soak** [souk]	동 젖다, 적시다, 흡수하다	물에 젖은	________ed in water
		산소를 흡수하다	________ up the oxygen
13 ★★☆ **smash** [smæʃ]	동 박살내다, 충돌하다, 힘껏 치다	나무에 충돌하다	________ into a tree
		공을 힘껏 치다	________ the ball
14 ★★★ **element** [éləmənt]	명 요소, 성분, (화학) 원소	원소 기호	an ________ symbol
		TIP	element는 기본적이고 필수적인 요소를 나타내고 component는 합성물을 형성하는 성분 가운데 하나의 요소를 가리킴.
15 ★☆☆ **particle** [pá:rtikl]	명 (아주 작은) 입자, 소량, 티끌	먼지 입자를 막다	prevent dust ________s
		티끌만큼의 진실	a ________ of truth
16 ★★★ **factor** [fǽktər]	명 요인, (수학) 인수, (생물) 유전(인)자	중력과 같은 요인	a ________ such as gravity
		발육 인자	a growth ________
17 ★★★ **scale** [skeil]	명 규모, 비율, 눈금	백분율을 사용하다	use a percent ________
		30cm 눈금의 자	a 30cm ________ ruler
18 ★★★ **figure** [fígjər]	명 숫자, 계산, 도형, 모습 동 계산하다, 생각하다	평면 도형	a plane ________
		방법을 생각하다	________ out a way
19 ★★★ **approximately** [əprɑ́ksəmətli]	부 거의, 대략	거의 일치하다	correspond ________
		대략 계산하다	figure out ________
20 ★★★ **quarter** [kwɔ́:rtər]	명 1분기(3개월), 4분의 1, 15분 동 4등분하다	1시간의 4분의 3(45분)	three ________s of an hour
		TIP	quart-가 앞에 붙으면 숫자 4와 관련된 뜻. e.g. **quart**et((음악) 4중주)

STEP 2
Word Pairs
관련어 '쌍'으로 암기

알쏭달쏭 혼동어

21	**physicist** [fízisist]	명 물리학자	원자 물리학자	an atomic ________
	physician [fizíʃən]	명 의사, 내과 의사	의사와 상의하다	consult a ________
22	**prove** [pruːv]	동 증명하다, 입증하다	이론을 증명하다	________ the theory
	probe [proub]	동 조사하다, 탐색하다, 탐사하다	뇌를 조사하다	________ the brain
23	**rectangle** [réktæŋgl]	명 직사각형	종이를 직사각형으로 접다	fold paper into a ________
	square [skwɛər]	명 정사각형	정사각형 모양의 방	a ________ room

비슷한 뜻 유의어

24	**massive** [mǽsiv]	형 거대한, 대규모의	거대한 별의 잔해	the remains of a ________ star
	enormous [inɔ́ːrməs]	형 거대한, 막대한, 엄청난	막대한 비용	an ________ expense

반대의 뜻 반의어

25	**count** [kaunt]	동 세다, 계산하다, 중요하다	칼로리를 계산하다	________ calories
	countless [káuntlis]	형 셀 수 없는, 무수한	무수한 요인들	________ factors

살짝 바꾼 파생어

26	**calculate** [kǽlkjulèit]	동 계산하다, 추정하다	빛의 속도를 계산하다	________ the speed of light
	calculation [kæ̀lkjuléiʃən]	명 계산, 산출, 추정	암산하다	do a mental ________
27	**observe** [əbzə́ːrv]	동 관찰하다, 관측하다, 보다	화성을 관측하다	________ Mars
	observation [ɑ̀bzərvéiʃən]	명 관찰, 관측, 주시	관찰에 근거하여	based on ________
28	**react** [riǽkt]	동 반응하다, (상호) 작용하다	그 현상에 반응하다	________ to the phenomenon
	reaction [riǽkʃən]	명 반응, 반작용, 상호 작용	알레르기 반응	an allergic ________
29	**subtract** [səbtrǽkt]	동 (수·양 등을) 빼다	10에서 5를 빼다	________ 5 from 10
	subtraction [səbtrǽkʃən]	명 빼기, 뺄셈	덧셈과 뺄셈을 배우다	learn addition and ________

TIP calculate는 count에 비해 복잡한 계산을 하는 경우에 씀.

No.	Word	Meaning	Example (Korean)	Example (English)
30	**expand** [ikspǽnd]	ⓢ 팽창하다, 확대하다	열을 받아 팽창하다	______ under heat
	expansion [ikspǽnʃən]	ⓜ 팽창, 확장, 확대	기체의 팽창	______ of gases
31	**explode** [iksplóud]	ⓢ 터지다, 폭발하다, 급증하다	거대한 폭탄이 폭발했다.	A large bomb ______d.
	explosion [iksplóuʒən]	ⓜ 폭발, 급증	인구 급증	a population ______

TIP expand와 explode의 ex는 '밖으로'라는 뜻.

No.	Word	Meaning	Example (Korean)	Example (English)
32	**analyze** [ǽnəlàiz]	ⓢ 분석하다, 조사하다	실험 데이터를 분석하다	______ laboratory data
	analysis [ənǽləsis]	ⓜ 분석 (연구)	과학적 분석을 하다	conduct a scientific ______
33	**chemistry** [kéməstri]	ⓜ 화학, 화학적 성질	응용 화학	applied ______
	chemical [kémikəl]	ⓗ 화학의, 화학적인	화학적 상호 작용	a ______ interaction
34	**physics** [fíziks]	ⓜ 물리학	물리학 법칙들	the laws of ______
	physical [fízikəl]	ⓗ 육체의, 신체적인, 물리적인	신체적 특징들	______ features
35	**experiment**	[ikspérəmənt] ⓜ 실험 [ekspérəmènt] ⓢ 실험하다	실험을 통해 증명하다	prove through ______s
	experimental [ikspèrəméntl]	ⓗ 실험의, 실험적인, 시험적인	실험 단계에 있는	in the ______ stage
36	**measure** [méʒər]	ⓢ 측정하다, 재다 ⓜ 조치, 기준	높이를 재다	______ the height
	measurable [méʒərəbl]	ⓗ 측정할 수 있는, 예측 가능한	예측 가능한 결과들	______ results
37	**neutral** [njú:trəl]	ⓗ 중립적인, 중성의	순수한 물은 중성이다.	Pure water is ______.
	neutralize [njú:trəlàiz]	ⓢ 중화시키다, 무효화하다	독성을 중화시키다	______ a poison
38	**vapor** [véipər]	ⓜ 증기	공기 중의 수증기	water ______ in the air
	vaporize [véipəràiz]	ⓢ 증발하다, 증발시키다	알코올을 증발시키다	______ alcohol

STEP 3

Review

A 예비 영단어 또는 우리말 뜻 쓰기

1. soak	______	9. 녹이다, 해산하다	______
2. burst	______	10. 유독한, 중독성의	______
3. laboratory	______	11. 증발하다, 증발시키다	______
4. subtraction	______	12. 셀 수 없는, 무수한	______
5. probe	______	13. 팽창하다, 확대하다	______
6. particle	______	14. 고체의, 단단한; 고체	______
7. analysis	______	15. 추출하다, 빼내다; 추출물, 발췌	______
8. figure	______	16. 거의, 대략	______

B 기본 덩어리 표현 완성하기

1. 1시간의 4분의 3(45분)	three ______s of an hour	9. 나무에 충돌하다	______ into a tree
2. 30cm 눈금의 자	a 30cm ______ ruler	10. 화성을 관측하다	______ Mars
3. 기이한 혼합물	a curious ______	11. 발육 인자	a growth ______
4. Newton(뉴턴)의 중력 법칙	Newton's law of ______	12. 응용 화학	applied ______
5. 원소 기호	an ______ symbol	13. 신체적 특징들	______ features
6. 알레르기 반응	an allergic ______	14. 인구 급증	a population ______
7. 예측 가능한 결과들	______ results	15. 독성을 중화시키다	______ a poison
8. 기체의 팽창	______ of gases	16. 자연 현상	a natural ______

▶ 정답 p. 200

C 내신 기출 유형 밑줄 친 단어와 의미가 같은 표현 고르기

선택지 단어 뜻 쓰며 더블 체크!

1. BMI (Body Max Index) is a useful way to measure your health.

① analyze ② observe ③ calculate ④ prove

2. There was a huge bang as if someone had burst a rocket outside.

① experimented ② dissolved ③ exploded ④ smashed

3. Sunlight is a massive energy source that can help power our future.

① a countless ② an enormous ③ a toxic ④ a neutral

4. You can avoid dehydration by drinking plenty of fluids throughout the day.

① liquids ② mixtures ③ solids ④ vapors

D 수능 기출 유형 문맥상 알맞은 단어 고르기

1. (1) A natural gas can [expand / explode] when exposed to flames or sparks.
   (2) He tried to [expand / explode] his business too quickly and got in over his head.

2. (1) After division has been completed, add or [extract / subtract] from left to right.
   (2) This healthy drink contains 30 kinds of elements [extracted / subtracted] from more than 15 kinds of plants.

3. The United States remained [chemical / neutral] in the war until April 1917.

4. A [rectangle / square] has four right angles and four sides of the same length.

5. A [physician / physicist] is a scientist who specializes in physics and a [physician / physicist] is a specialist in internal medicine.

DAY 22 과학

STEP 1
Single Words
군더더기 없이 핵심에 집중

01 ★☆☆	**stem** [stem]	명 (식물의) 줄기 동 생기다, 유래하다	줄기 세포 이식	a ________ cell transplant
			그 사건으로부터 생기다	________ from the accident
02 ★★☆	**tissue** [tíʃuː]	명 (생물) 조직, 휴지	근육 조직을 잃다	lose muscle ________
			화장실 휴지	toilet ________
03 ★☆☆	**skeleton** [skélətn]	명 골격, 뼈대, 해골	인간의 골격을 연구하다	study the human ________
			완전한 공룡의 뼈대	a complete dinosaur ________
04 ★★★	**species** [spíːʃiːz]	명 (생물 분류의 기초 단위인) 종, 종류	유사한 어종	a similar ________ of fish
			여러 종류의 박테리아	different ________ of bacteria
05 ★☆☆	**neuroscience** [njùərousáiəns]	명 신경 과학	신경 과학 분야	the field of ________
06 ★★☆	**clone** [kloun]	동 복제하다 명 복제 생물, 복제품	인간을 복제하다	________ a human
			복제품들을 만들다	create ________s
07 ★☆☆	**veterinarian** [vètərənέəriən]	명 수의사	지역의 수의사	a local ________
			수의사를 부르다	call a ________ out
08 ★★★	**branch** [bræntʃ]	명 나뭇가지, (강·도로 등의) 지류 동 가지를 뻗다, 갈라지다	떨어진 나뭇가지	a fallen tree ________
			오른쪽으로 갈라지다	________ off to the right
09 ★★☆	**volcanic** [valkǽnik]	형 화산의, 화산 작용에 의한	두꺼운 화산재	thick ________ ash
10 ★★★	**layer** [léiər]	명 층, (표면을 덮는) 막	지구의 오존층	the Earth's ozone ________
			내부의 막	the inner ________

TIP (05) neuro-가 앞에 붙으면 '신경'과 관련된 뜻.
e.g. **neuro**logy(신경학), **neuro**logical(신경학의), **neuro**logist(신경학자)

TIP (09) 고대 로마 신화의 Vulcanus(불카누스, 불과 대장장이의 신)에서 유래한 것으로 고대에는 화산이 폭발하면 Vulcanus가 대장장이 일을 하는 것이라 여겼음.

발음+짤강

공부한 날 1회 | 월 일 2회 | 월 일 3회 | 월 일

11 ★★★	**habitat** [hǽbitæt]	명 서식지, 거주지	코알라의 자연 서식지	a natural ________ for koalas
			TIP	hab는 '살다, 갖다'라는 뜻. e.g. **hab**it((몸에 밴) 습관), in**hab**it(살다, 서식하다)
12 ★★★	**migrate** [máigreit]	동 이동하다, 이주하다	겨울을 나기 위해 남쪽으로 이동하다	________ south for the winter
			도심 지역으로 이주하다	________ to urban areas
13 ★★☆	**predator** [prédətər]	명 포식자, 포식 동물	포식자로부터 빠져 나오다	escape a ________
			포식 동물과 먹이	________ and prey
14 ★★★	**struggle** [strʌ́gl]	동 버둥거리다, 싸우다, 애쓰다 명 투쟁, 몸부림, 노력	추위와 싸우다	________ against the cold
			권력 투쟁	a power ________
15 ★★★	**lunar** [lú:nər]	형 달의, 음력의	달의 풍경	a ________ landscape
			음력 설날을 기념하다	celebrate ________ New Year
16 ★★★	**solar** [sóulər]	형 태양의, 태양열을 이용한	태양의 흑점	a ________ spot
			태양열을 이용한 에너지 생산	________ energy production
17 ★★☆	**ray** [rei]	명 광선, 한 줄기의 빛	태양 광선	the ________s of the Sun
			한 줄기 희망	a ________ of hope
18 ★☆☆	**orbit** [ɔ́:rbit]	명 궤도 동 궤도를 돌다	지구의 궤도	the ________ of the Earth
			태양의 궤도를 돌다	________ the Sun
19 ★☆☆	**comet** [kɑ́mit]	명 혜성	Halley(핼리) 혜성의 귀환	the return of Halley's ________
			새로운 혜성을 찾다	find a new ________
20 ★★☆	**alien** [éiljən]	형 외국의, 이질적인, 지구 밖의 명 외국인, 외계인, 우주인	이질적인 문화	an ________ culture
			외계인과 접촉을 시도하다	try to contact ________s

STEP 2
Word Pairs
관련어 '쌍'으로 암기

알쏭달쏭 혼동어

No.	Word	Meaning	Korean phrase	English phrase
21	**astronomer** [əstránəmər]	명 천문학자	천문학자가 되기로 결심하다	decide to become an ________
	astronaut [ǽstrənɔ̀ːt]	명 우주 비행사, 우주인	달에 착륙하는 우주 비행사들	________s landing on the Moon

TIP astro-가 앞에 붙으면 '별'과 관련된 뜻. e.g. **astro**nomy(천문학), **astro**nomical(천문학의)

No.	Word	Meaning	Korean phrase	English phrase
22	**botany** [bátəni]	명 식물학, 식물	식물 지리학	geographical ________
	zoology [zouálədʒi]	명 동물학	동물학과	a ________ department

비슷한 뜻 유의어

No.	Word	Meaning	Korean phrase	English phrase
23	**marine** [məríːn]	형 바다의, 해양의	해양 생물	________ life
	maritime [mǽrətàim]	형 해양의, 바다에 접한	해양 박물관을 방문하다	visit a ________ museum
24	**trait** [treit]	명 (성격·습관 등의) 특징, 특성, (유전) 형질	유전적 특성	an inherited ________
	characteristic [kæ̀riktərístik]	명 특징, 특성 형 특징적인, 독특한	주요 특징	a key ________

반대의 뜻 반의어

No.	Word	Meaning	Korean phrase	English phrase
25	**vertical** [və́ːrtikəl]	형 수직의, 세로의	그래프의 세로축	the ________ axis of the graph
	horizontal [hɔ̀ːrəzántl]	형 수평의, 가로의	수평선	a ________ line

살짝 바꾼 파생어

No.	Word	Meaning	Korean phrase	English phrase
26	**absorb** [æbsɔ́ːrb]	동 흡수하다, 열중시키다	햇빛을 흡수하다	________ sunlight
	absorption [æbsɔ́ːrpʃən]	명 흡수, 몰두, 열중	연구에의 깊은 몰두	deep ________ in studying
27	**evolve** [iválv]	동 진화하다, 발달하다	유인원에서 진화하다	________ from apes
	evolution [èvəlúːʃən]	명 진화, 발전	인류의 진화	human ________
28	**explore** [iksplɔ́ːr]	동 탐험하다, 탐사하다, 탐구하다	새로운 행성들을 탐사하다	________ new planets
	exploration [èkspləréiʃən]	명 탐험, 탐사, 탐구	남극 탐험	an antarctic ________
29	**reproduce** [rìprədúːs]	동 번식하다, 복제하다, 재생하다	조직을 복제하다	________ tissues
	reproduction [rìprədʌ́kʃən]	명 번식, 복제, 재생	식물 번식	plant ________

30	**rotate** [róuteit]	동 회전하다, 교대하다	지구 주위를 회전하다	________ around the Earth
	rotation [routéiʃən]	명 회전, (지구·천체의) 자전, 교대	자전 주기	a period of ________
31	**emerge** [imə́ːrdʒ]	동 (보이지 않던 것이) 나타나다, 드러나다	안개 속에서 나타난	________d from the fog
	emergence [imə́ːrdʒəns]	명 출현, 발생	새로운 기술의 출현	the ________ of new technology
32	**biology** [baiάlədʒi]	명 생물학	생물학 강의를 듣다	take ________ courses
	biologist [baiάlədʒist]	명 생물학자	해양 생물학자	a marine ________

TIP bio-가 앞에 붙으면 '생명'과 관련된 뜻. e.g. **bio**graphy(전기), **bio**mass(생물 자원)

33	**survive** [sərváiv]	동 살아남다, 생존하다, 견디다	혹독한 겨울을 견디다	________ the harsh winter
	survival [sərváivəl]	명 살아남기, 생존, 존속	생존을 위한 투쟁	the struggle for ________
34	**neuron** [njúərɑn]	명 뉴런, 신경 세포	감각 신경 세포	sensory ________s
	neural [njúərəl]	형 신경 (계통)의	신경망	a ________ network
35	**universe** [júːnəvə̀ːrs]	명 우주, 은하계, 세계	우주 팽창론	the expanding ________ theory
	universal [jùːnəvə́ːrsəl]	형 우주의, 전 세계의, 보편적인	보편적인 현상	a ________ phenomenon
36	**nerve** [nəːrv]	명 신경, 용기, 긴장	신경에 신호를 보내다	send a signal to the ________
	nervous [nə́ːrvəs]	형 신경의, 불안해하는, 초조해하는	초조해하는 눈초리	a ________ glance
37	**sustain** [səstéin]	동 지속하다, 견디다, 유지하다	물로 생명을 유지하다	________ life by water
	sustainable [səstéinəbl]	형 (환경 파괴 없이) 지속 가능한	지속 가능한 성장	________ growth
38	**gene** [dʒiːn]	명 유전자	유전자 분석	a ________ analysis
	genetic [dʒənétik]	형 유전의, 유전적인	유전병	________ diseases

STEP 3
Review

A 예비 영단어 또는 우리말 뜻 쓰기

1. vertical ______________
2. comet ______________
3. zoology ______________
4. emergence ______________
5. stem ______________
6. veterinarian ______________
7. struggle ______________
8. trait ______________
9. 흡수하다, 열중시키다 ______________
10. 포식자, 포식 동물 ______________
11. 천문학자 ______________
12. 식물학, 식물 ______________
13. 나뭇가지, 지류; 가지를 뻗다 ______________
14. 골격, 뼈대, 해골 ______________
15. 서식지, 거주지 ______________
16. 광선, 한 줄기의 빛 ______________

B 기본 덩어리 표현 완성하기

1. 두꺼운 화산재 thick ______________ ash
2. 근육 조직을 잃다 lose muscle ______________
3. 추위와 싸우다 ______________ against the cold
4. 달의 풍경 a ______________ landscape
5. 해양 생물학자 a marine ______________
6. 초조해하는 눈초리 a ______________ glance
7. 연구에의 깊은 몰두 deep ______________ in studying
8. 감각 신경 세포 sensory ______________s
9. 수평선 a ______________ line
10. 보편적인 현상 a ______________ phenomenon
11. 태양의 흑점 a ______________ spot
12. 이질적인 문화 an ______________ culture
13. 인류의 진화 human ______________
14. 도심 지역으로 이주하다 ______________ to urban areas
15. 지속 가능한 성장 ______________ growth
16. 자전 주기 a period of ______________

▶ 정답 p. 201

C 내신 기출 유형 밑줄 친 단어와 의미가 같은 표현 고르기

선택지 단어 뜻 쓰며 더블 체크!

1. The Earth takes a year to orbit around the Sun.

① branch ② rotate ③ evolve ④ migrate

2. Genes determine something or someone's traits such as size or hair color.

① species ② neurons ③ tissues ④ characteristics

3. The world's last known brown panda has survived the harsh winter in its home.

① reproduced ② endured ③ cloned ④ absorbed

4. On the first day of the festival, people will be able to enjoy performances including a marine show and splendid fireworks.

① an alien ② a universal ③ a maritime ④ a sustainable

D 수능 기출 유형 문맥상 알맞은 단어 고르기

1. (1) The Sun's [layers / rays] are dangerous for the skin and eyes.

(2) There is always a thin [layer / ray] of dust on the ground in the factory.

2. (1) Vitamin D is necessary to aid the [absorption / reproduction] of calcium from food.

(2) Darwin explains that human evolution resulted from those whose genes were most favorable to [absorption / reproduction] and survival.

3. [Nervous / Neural] networks handle many kinds of information in a brain.

4. Plastic waste is [emerging / exploring] as a serious cause of death in large marine animals.

5. The steepest roller coaster in the world features a 43-meter [horizontal / vertical] fall at 121 degrees.

DAY 23 기술

STEP 1

Single Words

군더더기 없이 핵심에 집중

No.	Word	Meaning	Korean	Phrase
01 ★★★	**install** [instɔ́:l]	동 설치하다	프로그램을 설치하다	______ a program
			기계를 설치하다	______ machinery
02 ★★★	**repair** [ripέər]	동 수리하다, 보수하다, 수선하다 명 수리, 보수, 수선	집을 수리하다	______ a house
			보수 중인 도로	a road under ______
03 ★★☆	**activate** [ǽktəvèit]	동 작동시키다, 활성화하다	살수 장치를 작동시키다	______ a sprinkler system
			소프트웨어를 활성화하다	______ software
04 ★★☆	**manual** [mǽnjuəl]	형 수동의, 손으로 하는 명 안내 책자, 설명서	수동 제어기	a ______ controller
			TIP	man은 '손'이라는 뜻. e.g. **man**icure(매니큐어, 손톱 손질), **man**ipulate(조종하다, 조작하다)
05 ★★☆	**recharge** [ri:tʃɑ́:rdʒ]	동 (재)충전하다	휴대 전화를 충전하다	______ a cell phone
			편히 쉬고 재충전하다	relax and ______ my batteries
06 ★★☆	**circuit** [sə́:rkit]	명 (전기) 회로, 순회, 순환	폐쇄 회로 텔레비전(CCTV)	closed-______ television
			그 도시를 순회하다	make a ______ of the city
07 ★★★	**core** [kɔ:r]	명 핵심, 중심부 형 핵심적인, 가장 중요한	행성의 중심부	the ______ of a planet
			그 핵심 기술을 누설하다	leak the ______ technology
08 ★★★	**material** [mətíəriəl]	명 재료, 소재, 물질, 자료 형 물질적인, 물질의, 중요한	신소재를 개발하다	develop a new ______
			물질적인 풍요를 누리다	enjoy ______ wealth
09 ★★☆	**appliance** [əpláiəns]	명 (가정용) 기기, 장비, 전기 제품	장비를 옮기다	move an ______
			가전제품	household ______s
10 ★★★	**expert** [ékspə:rt]	명 전문가 형 전문가의, 전문적인, 숙련된	기술 전문가(기술자)	a technical ______
			TIP	per는 '시험삼아 해보다'라는 뜻. e.g. ex**per**ience(경험, 경험하다), ex**per**iment(실험, 실험하다)

발음+짤강

공부한 날 1회 | 월 일 2회 | 월 일 3회 | 월 일

11 ★★☆ **virtual** [vɔ́ːrtʃuəl]
㉻ 가상의, (표면상은 그렇지 않으나) 사실상의, 실질적인

가상 현실(VR)	_______ reality
사실상 불가능한 일	a _______ impossibility

12 ★★★ **false** [fɔːls]
㉻ 거짓의, 틀린, 인조의

틀린 정보를 보도하다	report _______ information
인조 속눈썹	_______ eyelashes

13 ★★☆ **statistic** [stətístik]
㉮ 통계, 통계 자료, 통계치

통계 도표를 보다	view _______ charts

TIP 파생어 statistics(통계학), statistical(통계상의)

14 ★★★ **sort** [sɔːrt]
㉮ 분류, 정렬, 종류
㉯ 분류하다, 정리하다

온갖 종류의 설명서들	all _______s of manuals
뉴스를 주제별로 분류하다	_______ news by subject

15 ★★★ **rapid** [rǽpid]
㉻ 급속한, 신속한, 빠른

하드웨어의 급속한 변화	a _______ change of hardware
빠른 속도로 퍼지다	spread at a _______ rate

16 ★★★ **gradually** [grǽdʒuəli]
㉾ 점차, 서서히

시스템을 점차 활성화시키다	_______ activate the system

TIP grad는 '단계'라는 뜻.
e.g. **grad**uate(졸업하다), up**grad**e(개선하다)

17 ★★★ **numerous** [njúːmərəs]
㉻ 수많은, 다양한

수많은 실패를 겪다	experience _______ failures
다양한 아이디어를 떠올리다	come up with _______ ideas

18 ★★★ **advantage** [ædvǽntidʒ]
㉮ 유리한 점, 이점, 우위, 우세

온라인 학습의 이점	the _______ of online learning
비교 우위	a comparative _______

19 ★★★ **progress** [prágres] ㉮ 진전, 진보, 발달
[prəgrés] ㉯ 전진하다, 진보하다, 발달하다

기술적 진보	technological _______
문명이 발달하다	_______ in civilization

20 ★☆☆ **phase** [feiz]
㉮ 단계, 국면, 시기
㉯ 단계적으로 실행하다, 조정하다

새로운 국면의 시작	the beginning of a new _______
새로운 시스템을 단계적으로 실행하다	_______ in the new system

DAY 23 | 기술

STEP 2
Word Pairs
관련어 '쌍'으로 암기

알쏭달쏭 혼동어

No.	Word	Meaning	Korean phrase	English phrase
21	**device** [diváis]	명 장치, 기기, 기구	안전장치	a safety ________
	devise [diváiz]	동 창안하다, 고안하다	새로운 방법을 고안하다	________ a new method
22	**electronic** [ilektránik]	형 전자의, 컴퓨터의	태블릿과 같은 전자 기기	an ________ device like a tablet
	electric [iléktrik]	형 전기의	감전을 초래하다	result in ________ shock

비슷한 뜻 유의어

No.	Word	Meaning	Korean phrase	English phrase
23	**specific** [spisífik]	형 구체적인, 명확한	구체적인 지시를 내리다	give ________ instructions
	precise [prisáis]	형 정확한, 정밀한	정밀한 도구	a ________ instrument

TIP 유의어 correct(맞는, 정확한), exact(정확한)
반의어 ambiguous(모호한), approximate(대략의, 근접한), vague(애매한, 희미한)

반대의 뜻 반의어

No.	Word	Meaning	Korean phrase	English phrase
24	**flaw** [flɔː]	명 결점, 결함, 흠	구조적인 결함	a structural ________
	flawless [flɔ́ːlis]	형 흠이 없는, 완벽한	완벽한 기술	________ technique
25	**improve** [imprúːv]	동 개선하다, 향상시키다	삶의 질을 향상시키다	________ the quality of life
	decline [dikláin]	동 감소하다, 쇠퇴하다 명 감소, 쇠퇴	급격한 감소	a rapid ________
26	**upload** [ʌ́plòud]	동 업로드하다, 올리다	블로그에 사진을 올리다	________ photos on a blog
	download [dáunlòud]	동 다운로드하다, 내려받다	음악 파일을 다운로드하다	________ music files

살짝 바꾼 파생어

No.	Word	Meaning	Korean phrase	English phrase
27	**combine** [kəmbáin]	동 결합하다, 겸비하다	두 기술을 결합하다	________ two technologies
	combination [kɑ̀mbənéiʃən]	명 결합, 조합	색의 조합	a ________ of colors
28	**equate** [ikwéit]	동 동일시하다, 일치하다	돈과 성공을 동일시하다	________ money with success
	equation [ikwéiʒən]	명 방정식, 동일화	방정식을 풀다	solve an ________
29	**innovate** [ínəvèit]	동 혁신하다, 도입하다	경쟁적으로 혁신하다	________ competitively
	innovation [ìnəvéiʃən]	명 혁신, 쇄신	변화와 혁신의 시대	an age of change and ________

No.	Word	Meaning	Example (Korean)	Example (English)
30	**renovate** [rénəvèit]	동 개조하다, 수리하다	오래된 건물을 개조하다	________ an old building
	renovation [renəvéiʃən]	명 수리, 혁신	사회 기반 시설 혁신	infrastructure ________

TIP innovation은 모든 것을 완전히 새롭게 고치는 의미가 강하고 renovation은 낡은 것을 개선하는 의미가 큼.

No.	Word	Meaning	Example (Korean)	Example (English)
31	**equip** [ikwíp]	동 갖추다, 설비하다	실험실에 장비를 갖추다	________ a laboratory
	equipment [ikwípmənt]	명 장비, 용품, 설비	최첨단 장비	high tech ________
32	**efficient** [ifíʃənt]	형 효율적인, 유능한	연료의 효율적인 사용	the ________ use of fuel
	efficiency [ifíʃənsi]	명 효율(성), 능률	업무 효율을 최대로 높이다	maximize the work ________
33	**invention** [invénʃən]	명 발명품, 발명	인터넷의 발명	the ________ of the Internet
	inventor [invéntər]	명 발명가, 창안자	기계 발명가	a mechanical ________
34	**manufacture** [mænjufǽktʃər]	동 제조하다, 생산하다 명 제조, 생산	전자 기기를 제조하다	________ electronic devices
	manufacturer [mænjufǽktʃərər]	명 (대규모) 제조업자, 제조 회사	가전제품 제조 회사	a home appliances ________
35	**initiate** [iníʃièit]	동 시작하다, 착수하다	수리를 시작하다	________ the repairs
	initial [iníʃəl]	형 처음의, 초기의 명 첫 글자, 머리글자	초기 설계	the ________ design
36	**multiple** [mʌ́ltəpl]	형 많은, 다양한, 복합적인 명 (수학) 배수	용도가 다양하다	have ________ uses
	multiply [mʌ́ltəplài]	동 곱하다, 증대시키다	2에 5를 곱하다	________ 2 by 5
37	**visual** [víʒuəl]	형 시각의, 눈에 보이는	시각 효과를 더하다	add ________ effects
	visualize [víʒuəlàiz]	동 시각화하다, 상상하다	미래를 상상하다	________ the future
38	**automatic** [ɔ̀:təmǽtik]	형 자동의, 자동적인	자동 엘리베이터	an ________ elevator
	automatically [ɔ̀:təmǽtikəli]	부 자동적으로	자동으로 켜지다	turn on ________

STEP 3
Review

A 예비 영단어 또는 우리말 뜻 쓰기

1. multiple	________	9. 분류, 정렬; 분류하다	________
2. devise	________	10. 수동의, 손으로 하는; 안내 책자	________
3. upload	________	11. 흠이 없는, 완벽한	________
4. equip	________	12. 제조하다, 생산하다; 제조, 생산	________
5. decline	________	13. 동일시하다, 일치하다	________
6. virtual	________	14. 단계, 국면; 단계적으로 실행하다	________
7. renovation	________	15. 결합, 조합	________
8. initiate	________	16. (재)충전하다	________

B 기본 덩어리 표현 완성하기

1. 기술 전문가	a technical ________	9. 2에 5를 곱하다	________ 2 by 5
2. 폐쇄 회로 텔레비전	closed-________ television	10. 비교 우위	a comparative ________
3. 틀린 정보를 보도하다	report ________ information	11. 빠른 속도로 퍼지다	spread at a ________ rate
4. 경쟁적으로 혁신하다	________ competitively	12. 방정식을 풀다	solve an ________
5. 업무 효율을 최대로 높이다	maximize the work ________	13. 초기 설계	the ________ design
6. 프로그램을 설치하다	________ a program	14. 물질적인 풍요를 누리다	enjoy ________ wealth
7. 구조적인 결함	a structural ________	15. 인터넷의 발명	the ________ of the Internet
8. 자동 엘리베이터	an ________ elevator	16. 기술적 진보	technological ________

▶ 정답 p. 202

C 내신 기출 유형 밑줄 친 단어와 의미가 같은 표현 고르기

선택지 단어 뜻 쓰며 더블 체크!

1. A good debater always has multiple arguments and their reasons.

   ① flawless ________ ② efficient ________ ③ numerous ________ ④ rapid ________

2. Doctors found it hard to establish the specific nature of the illness.

   ① initial ________ ② core ________ ③ precise ________ ④ expert ________

3. From bottles to high tech devices, a large number of products are made of plastic.

   ① appliances ________ ② circuits ________ ③ materials ________ ④ equations ________

4. The city government renovated four stadiums and planted grass on the soccer field.

   ① installed ________ ② repaired ________ ③ combined ________ ④ activated ________

D 수능 기출 유형 문맥상 알맞은 단어 고르기

1. (1) Our core business continues to [decline / improve] despite the growth strategy.
   (2) An online company launched its new service to [decline / improve] user experience.

2. (1) The expert said that most [electric / electronic] cars can run for 100 to 150 miles before the battery runs out.
   (2) Using a television and other [electric / electronic] devices such as smart phones before bedtime disturbs sleep.

3. People can rent or return the bicycles [equated / equipped] with GPS chips at the station.

4. A [virtual / visual] reality is an artificial environment with 3D images that can be interacted with in a seemingly real way.

5. The [automatic / manual] dispensers have been installed for busy people who do not have enough time to go grocery shopping.

DAY 24 운송

STEP 1
Single Words
군더더기 없이 핵심에 집중

No.	Word	Meaning	Phrase (Korean)	Phrase (English)
01 ★☆☆	**transit** [trǽnsit]	명 운송, 교통 체계, 환승	운송 시간	________ times
			대중교통을 이용하다	take public ________
02 ★★★	**vehicle** [víːikl]	명 차량, 탈것, 운송 수단	자동차를 운행하다	operate a motor ________
			친환경적인 운송 수단	an eco-friendly ________
03 ★★★	**automobile** [ɔ̀ːtəməbíːl]	명 자동차, 승용차 형 자동차의	자동차 사고	an ________ accident
			TIP auto-가 앞에 붙으면 '자신, 스스로'와 관련된 뜻. e.g. **auto**biography(자서전), **auto**matic(자동의, 자동적인)	
04 ★★☆	**vessel** [vésəl]	명 (대형) 선박, 배, 용기, 그릇	어선	a fishing ________
			빈 용기를 채우다	fill an empty ________
05 ★☆☆	**drone** [droun]	명 (무선 조종에 의한) 무인 비행기, (낮게) 윙윙거리는 소리	카메라가 장착된 무인 비행기	a ________ with a camera
			차들이 윙윙거리는 소리	the ________ of traffic
06 ★★★	**aircraft** [έərkræ̀ft]	명 항공기, 비행기	항공기에 탑승하다	board an ________
			대형을 지어 비행하는 비행기들	________ flying in formation
07 ★☆☆	**steer** [stiər]	동 조종하다, 몰다, 나아가다	트럭을 몰다	________ a truck
			TIP 자동차의 '핸들'을 steering wheel이라고 함.	
08 ★★★	**fasten** [fǽsn]	동 매다, 단단히 고정시키다	안전벨트를 매다	________ a seat belt
			손목에 단단히 고정시키다	________ to the wrist
09 ★★★	**space** [speis]	명 공간, 우주, 좌석	주차 공간	a parking ________
			내 좌석을 예약하다	reserve my ________
10 ★★★	**rough** [rʌf]	형 거친, 험한, 힘든	거친 지면을 가로질러 이동하다	move across ________ ground
			난항	a ________ voyage

발음+짤강

공부한 날 1회 | 월 일 2회 | 월 일 3회 | 월 일

11 ★★★	**yield** [ji:ld]	동 양보하다, 굴복하다, 산출하다 명 산출(량), 수확(량)	다가오는 차에게 양보하다	________ to oncoming traffic
			높은 작물 수확량	a high crop ________
12 ★★★	**license** [láisəns]	명 면허(증), 허가	운전면허증	a driver's ________
			허가를 받고	under ________
13 ★★★	**passenger** [pǽsəndʒər]	명 승객, 여객, 탑승객	승객용 좌석에 앉다	sit in the ________ seat
			여객기	a ________ plane
14 ★★☆	**pedestrian** [pədéstriən]	명 보행자 형 보행자용의, 도보의	횡단보도	a ________ crossing
			TIP	ped는 '발'이라는 뜻. e.g. ex**ped**ition(탐험(대), 원정), **ped**al(페달)
15 ★★☆	**reckless** [réklis]	형 난폭한, 무모한, 부주의한	난폭 운전	________ driving
			무모한 시도를 하다	make a ________ attempt
16 ★★★	**rescue** [réskju:]	동 구출하다, 구조하다 명 구출, 구조	승객들을 구출하다	________ the passengers
			구조대원	________ workers
17 ★☆☆	**freight** [freit]	명 화물, 수송, 운임	철도 화물로 배송되는	delivered by rail ________
			선불 운임 서비스	advanced ________ services
18 ★☆☆	**cruise** [kru:z]	동 순항하다, 유람선을 타고 다니다 명 순항, 유람선 여행	해안을 따라 순항하다	________ along the shore
			세계 일주 유람선 여행	a round-the-world ________
19 ★★☆	**spacecraft** [spéiskræft]	명 우주선, 우주 항공기	우주선을 발사하다	launch a ________
			무인 우주선	an unmanned ________
20 ★☆☆	**shipment** [ʃípmənt]	명 선적, 수송, 수송품	수송비	________ costs
			마지막 수송품을 받다	receive the final ________

DAY 24 | 운송

STEP 2

Word Pairs

관련어 '쌍'으로 암기

알쏭달쏭 혼동어

21	**fare** [fɛər]	명 (교통) 요금	왕복 요금	a round-trip ______
	fair [fɛər]	형 적정한, 공정한 명 박람회	적정한 임금을 받다	get a ______ wage
22	**flight** [flait]	명 비행기, 비행, 항공편	순조로운 비행	a smooth ______
	fright [frait]	명 놀람, 두려움	두려움에 떨다	shake with ______

TIP fright의 파생어 frighten(무섭게 하다), frightened(겁먹은, 무서워하는)

비슷한 뜻 유의어

23	**crash** [kræʃ]	명 (충돌·추락 등의) 사고 동 충돌하다, 추락하다	비행기 추락 사고	a plane ______
	bump [bʌmp]	명 충돌, 쿵 하는 소리 동 부딪치다, 충돌하다	다른 차와 충돌하다	______ another car
24	**path** [pæθ]	명 (작은) 길, 도로	자전거 도로	a bicycle ______
	trail [treil]	명 오솔길, 산길, 자국	숲속으로 나 있는 오솔길	a ______ through the forest
25	**victim** [víktim]	명 희생자, 피해자	사고의 희생자	an accident ______
	casualty [kǽʒuəlti]	명 사상자, 피해자	사상자 수치를 발표하다	announce ______ figures

살짝 바꾼 파생어

26	**transport** [trænspɔ́ːrt]	동 운송하다, 수송하다	선박으로 물건을 수송하다	______ goods by vessel
	transportation [trӕnspərtéiʃən]	명 운송, 수송, 수송 기관	무거운 화물 운송	the ______ of heavy freight
27	**connect** [kənékt]	동 연결하다, 잇다	연결 항공편	a ______ing flight
	connection [kənékʃən]	명 (교통) 연결편, 연결, 연관성	연결편을 놓치다	miss the ______
28	**intersect** [intərsékt]	동 교차하다, 가로지르다	직각으로 교차하다	______ at right angles
	intersection [ìntərsékʃən]	명 교차로, 교차 지점	교차로를 건너다	cross the ______
29	**congest** [kəndʒést]	동 혼잡하게 하다, 정체시키다	그 지역의 교통을 혼잡하게 하다	______ traffic in the area
	congestion [kəndʒéstʃən]	명 혼잡, 정체	정체를 완화하다	relieve ______

No.	Word	Meaning	Example (Korean)	Example (English)
30	**accelerate** [ækséləréit]	동 속도를 높이다, 가속하다	내 차의 속도를 높이다	________ my car
	accelerator [əksélərèitər]	명 (자동차의) 액셀러레이터, 가속 페달	가속 페달을 밟다	press the ________
31	**navigate** [nǽvəgèit]	동 길을 찾다, 항해하다	주요 지형지물에 의존해 길을 찾다	________ based on landmarks
	navigator [nǽvəgèitər]	명 항해사, 조종사, 탐험가	노련한 항해사	a skilled ________
32	**commute** [kəmjú:t]	동 통근하다	지하철로 통근하다	________ by subway
	commuter [kəmjú:tər]	명 통근자 형 통근자의	통근 열차를 타다	take the ________ train
33	**transfer** [trænsfə́:r]	동 이동하다, 갈아타다	버스에서 기차로 갈아타다	________ from a bus to a train
	transference [trænsfə́:rəns]	명 이동, 이전, (감정의) 전이	권력의 이동	a ________ of power

TIP transfer의 동사 변화형 transfer-transferred-transferred (과거(분사)형을 만들 때 r이 추가되는 것에 유의.)

No.	Word	Meaning	Example (Korean)	Example (English)
34	**distant** [dístənt]	형 먼, (멀리) 떨어져 있는, 원격의	멀리 떨어져 있는 곳	a ________ place
	distance [dístəns]	명 거리, 간격, 먼 거리	장거리 운전을 하다	drive a long ________
35	**pave** [peiv]	동 (아스팔트·벽돌 등으로) 포장하다	콘크리트로 포장된 도로	a road ________d with concrete
	pavement [péivmənt]	명 포장도로, 인도, 보도	거친 포장도로를 개선하다	improve the rough ________
36	**frequent** [frí:kwənt]	형 잦은, 빈번한	잦은 차량 사고	________ vehicle accidents
	frequency [frí:kwənsi]	명 잦음, 빈번, 빈도	빈번하게 일어나다	occur with ________
37	**depart** [dipά:rt]	동 떠나다, 출발하다	항구를 떠나다	________ from a harbor
	departure [dipά:rtʃər]	명 떠남, 출발(편)	도착편과 출발편	arrivals and ________s
38	**load** [loud]	명 짐, 화물, 짐의 양	짐을 내리다	set down the ________
	loaded [lóudid]	형 짐을 실은, 가득 찬	짐을 가득 실은 트럭	a fully-________ truck

STEP 3
Review

A 예비 영단어 또는 우리말 뜻 쓰기

1. transference	______	9. 양보하다, 굴복하다; 산출(량)	______
2. connection	______	10. 매다, 단단히 고정시키다	______
3. congest	______	11. 속도를 높이다, 가속하다	______
4. freight	______	12. (교통) 요금	______
5. pedestrian	______	13. 면허(증), 허가	______
6. distant	______	14. 포장도로, 인도, 보도	______
7. fair	______	15. 구출하다, 구조하다; 구출	______
8. navigate	______	16. 공간, 우주, 좌석	______

B 기본 덩어리 표현 완성하기

1. 난항	a ______ voyage	9. 잦은 차량 사고	______ vehicle accidents
2. 항구를 떠나다	______ from a harbor	10. 난폭 운전	______ driving
3. 세계 일주 유람선 여행	a round-the-world ______	11. 어선	a fishing ______
4. 연결 항공편	a ______ing flight	12. 교차로를 건너다	cross the ______
5. 통근 열차를 타다	take the ______ train	13. 가속 페달을 밟다	press the ______
6. 장거리 운전을 하다	drive a long ______	14. 대중교통을 이용하다	take public ______
7. 짐을 가득 실은 트럭	a fully-______ truck	15. 카메라가 장착된 무인 비행기	a ______ with a camera
8. 무인 우주선	an unmanned ______	16. 도착편과 출발편	arrivals and ______s

▶ 정답 p. 202

C 내신 기출 유형 밑줄 친 단어와 의미가 같은 표현 고르기

선택지 단어 뜻 쓰며 더블 체크!

1. A truck dropped its freight on the motorway.

① frequency ② congestion ③ load ④ vessel

2. No one can foresee precisely how many victims there will be.

① cruises ② navigators ③ casualties ④ commuters

3. Police are looking for a driver who crashed into the new walkway construction early in the morning.

① steered ② fastened ③ transferred ④ bumped

4. The path is so narrow that climbers have to wait for the climber before them to ascend or descend.

① intersection ② trail ③ pavement ④ distance

D 수능 기출 유형 문맥상 알맞은 단어 고르기

1. (1) Children travel at half [fair / fare].

(2) Competition provides a [fair / fare] and equal opportunity to all people.

2. (1) The world's largest bus can carry up to 300 [passengers / pedestrians].

(2) This park is a popular area for [passengers / pedestrians], bikers, and runners to relax or exercise.

3. Pipelines are used to [congest / transport] oil from the wells to storage facilities.

4. He got the [flight / fright] of his life when his daughter ran in with her head bleeding.

5. As the AI revolution continues to [accelerate / navigate], new technology is being developed to solve key problems faced by users.

DAY 25 정치/외교

STEP 1
Single Words
군더더기 없이 핵심에 집중

01 ★★★	**govern** [gʌ́vərn]	동 통치하다, 다스리다, 결정하다	나라를 통치하다	______ a country
			계획을 결정하다	______ the plan
02 ★★★	**domestic** [dəméstik]	형 국내의, 가정(용)의, 가정적인	국내 정치	______ politics
			일반적인 가정용 기기	common ______ appliances
03 ★★☆	**territory** [térətɔ̀:ri]	명 영토, 영역, 지역	영토 분단	the division of ______
			사람이 살지 않는 지역	uninhabited ______
04 ★☆☆	**wield** [wi:ld]	동 (권력 등을) 행사하다, (무기·도구 등을) 휘두르다	막대한 권력을 행사하다	______ enormous power
			큰 칼을 휘두르다	______ a large knife
05 ★★★	**policy** [pɑ́ləsi]	명 정책, 방침	정책을 결정하다	decide on a ______
			확고한 방침을 취하다	adopt a firm ______
06 ★★☆	**poll** [poul]	명 여론 조사, 투표 동 표를 얻다, 투표하다	여론 조사를 시행하다	conduct a ______
			다수표를 얻다	______ a majority
07 ★★★	**candidate** [kǽndidèit]	명 (선거의) 입후보자, 지원자	대통령 선거 입후보자	a presidential ______
			TIP 라틴어 candidus(빛나는, 하얀)에서 나온 말로 로마에서 공직의 후보자들이 흰 옷을 입어 청렴함을 강조한 것에서 유래.	
08 ★★★	**vote** [vout]	명 투표, 표 동 투표하다	쟁점을 두고 투표하다	take a ______ on an issue
			새 시장을 위해 투표하다	______ for a new mayor
09 ★★☆	**corrupt** [kərʌ́pt]	형 부패한, 타락한 동 부패하게 만들다, 타락시키다	부패한 정권	a ______ regime
			야망으로 타락한	______ed by ambition
10 ★★☆	**compromise** [kɑ́mprəmàiz]	명 타협, 절충안	타협에 이르다	reach a ______
			TIP 어원 com(함께)+promise(약속하다)	

공부한 날 1회 | 월 일 2회 | 월 일 3회 | 월 일

11 ★★☆ **conservative** [kənsə́ːrvətiv]	형 보수적인	보수당	the ___ party
		보수적인 견해를 갖다	have ___ views
12 ★☆☆ **radical** [rǽdikəl]	형 급진적인, 근본적인, 철저한	급진적인 사상	___ ideas
		근본적인 변화의 필요성	the need for ___ changes
13 ★★★ **official** [əfíʃəl]	명 공무원, 임원 형 공무상의, 직무상의, 공식적인	사회 복지 담당 공무원들	social service ___s
		공식 발표	an ___ announcement
14 ★★★ **administration** [ədmìnəstréiʃən]	명 행정, 관리, 경영	민정(국민을 우선으로 하는 행정)	the civil ___
		관리 비용을 줄이다	cut ___ costs
15 ★★★ **minister** [mínistər]	명 장관, 목사, 성직자	외교부 장관을 임명하다	appoint a foreign ___
		TIP	min은 '작은'이라는 뜻으로 minister는 '작은 사람'이라는 의미가 '국가나 신을 위해 봉사하는 사람'을 가리키는 말로 발전된 것.
16 ★★☆ **prestige** [prestíːʒ]	명 위신, 명망	국가의 위신을 높이다	enhance national ___
		명망이 낮은	with low ___
17 ★★★ **republic** [ripʌ́blik]	명 공화국	독립 공화국	an independent ___
		공화국을 수립하다	establish a ___
18 ★☆☆ **accord** [əkɔ́ːrd]	명 일치, 합의, 협정 동 일치하다, 허용하다	평화 협정	a peace ___
		그 정책과 일치하다	___ with the policy
19 ★☆☆ **captive** [kǽptiv]	형 포로의, 감금된 명 포로	감금된 병사들	___ soldiers
		TIP	'캡처하다'라고 할 때의 '캡처(capture)'에서 나온 말. *cf.* capture(붙잡다, 점령하다, 기록하다), captivity(감금)
20 ★★☆ **embassy** [émbəsi]	명 대사관	주한 인도 대사관	the Indian ___ in Korea
		대사관 공무원들	___ officials

DAY 25 | 정치/외교

STEP 2

Word Pairs

관련어 '쌍'으로 암기

알쏭달쏭 혼동어

No.	Word	Meaning	Phrase (Korean)	Phrase (English)
21	**council** [káunsəl]	명 의회, 위원회	지역 의회	a district ______
	counsel [káunsəl]	명 상담, 조언 동 상담을 하다, 조언하다	조언하다	give ______

비슷한 뜻 유의어

No.	Word	Meaning	Phrase (Korean)	Phrase (English)
22	**conflict** [kánflikt]	명 갈등, 충돌, 논쟁	정치적 충돌을 피하다	avoid political ______
	dispute [dispjúːt]	명 분쟁, 논쟁	국경에 관한 분쟁	a ______ about the border
23	**crisis** [kráisis]	명 위기, 중대 국면	위기에 직면하다	face a ______
	emergency [imə́ːrdʒənsi]	명 긴급(비상) 사태, 위기	긴급 처치하다	take ______ action
24	**restrain** [ristréin]	동 제한하다, 제지하다, 억제하다	무역을 제한하다	______ trade
	restrict [ristríkt]	동 제한하다, 금지하다	민간인의 출입을 금지하다	______ civilian access

반대의 뜻 반의어

No.	Word	Meaning	Phrase (Korean)	Phrase (English)
25	**immigrate** [íməgrèit]	동 (다른 나라에서) 이주하다, 이민을 오다	이민 오는 것을 허가받은	permitted to ______
	emigrate [émigrèit]	동 (다른 나라로) 이주하다, 이민을 가다	한국에서 캐나다로 이주하다	______ from Korea to Canada

TIP immigrate의 im은 '안으로'라는 뜻으로 다른 나라에서 이민 오는 것을 나타내고, emigrate의 e는 '밖으로'라는 뜻으로 다른 나라로 이민 가는 것을 가리킴.

살짝 바꾼 파생어

No.	Word	Meaning	Phrase (Korean)	Phrase (English)
26	**declare** [dikléər]	동 선언하다, 선포하다	문맹과의 전쟁을 선포하다	______ war on illiteracy
	declaration [dèkləréiʃən]	명 선언, 발표	독립 선언	a ______ of independence
27	**reform** [rifɔ́ːrm]	동 개정하다, 개혁하다	제도를 개정하다	______ a system
	reformation [rèfərméiʃən]	명 개혁, 개선	종교 개혁	religious ______
28	**conclude** [kənklúːd]	동 체결하다, 결론짓다	우호 조약을 체결하다	______ a treaty of friendship
	conclusion [kənklúːʒən]	명 체결, 결론, 판단	성급한 결론을 내리다	make a hasty ______
29	**maintain** [meintéin]	동 유지하다, 주장하다	긴밀한 관계를 유지하다	______ close relations
	maintenance [méintənəns]	명 유지, 보수, 관리	정기 보수	routine ______

No.	Word	Meaning	Phrase (Korean)	Phrase (English)
30	**assemble** [əsémbl]	동 모으다, 소집하다, 조립하다	위원회를 소집하다	______ a committee
	assembly [əsémbli]	명 의회, 집회, 조립	국회를 해산하다	dissolve the National ______
31	**defend** [difénd]	동 방어하다, 지키다	나라를 지키다	______ the country
	defense [diféns]	명 방어, 방위, 수비	자기방어	self-______
32	**represent** [rèprizént]	동 대표하다, 나타내다	당을 대표하다	______ a party
	representative [rèprizéntətiv]	명 대표(자), 국회의원 형 대표적인	국회의원을 선출하다	elect a ______
33	**democracy** [dimάkrəsi]	명 민주주의, 민주 국가	민주주의를 위해 투쟁하다	fight for ______
	democratic [dèməkrǽtik]	형 민주주의의, 민주적인, 민주당의	민주주의 정부	a ______ government
34	**diplomat** [dípləmæt]	명 외교관	외교관을 파견하다	send a ______
	diplomatic [dìpləmǽtik]	형 외교의, 외교적인	외교 관계를 확립하다	establish ______ relations
35	**racism** [réisizm]	명 인종 차별	인종 차별의 희생자	a victim of ______
	racist [réisist]	명 인종 차별주의자 형 인종 차별주의(자)의	인종 차별주의적 공격	______ attacks
36	**dominate** [dάmənèit]	동 지배하다, 우위를 차지하다	여론을 지배하다	______ public opinion
	dominant [dάmənənt]	형 지배적인, 우세한	우세한 지위를 얻다	achieve a ______ position
37	**liberty** [líbərti]	명 자유, 해방	시민의 자유	civil ______
	liberal [líbərəl]	형 자유주의의, 진보적인	자유 민주주의자	a ______ democrat

TIP liber는 '자유롭게 하다'라는 뜻. e.g. **liber**alism(자유주의, 진보주의), **liber**ate(자유롭게 하다, 해방하다)

No.	Word	Meaning	Phrase (Korean)	Phrase (English)
38	**authority** [əθɔ́:rəti]	명 (정부) 당국, 권한, 권위	경찰 당국	police ______
	authorize [ɔ́:θəràiz]	동 권한을 부여하다, 승인하다	지불을 승인하다	______ payments

STEP 3

Review

A 예비 영단어 또는 우리말 뜻 쓰기

1. accord	______________	9. 정책, 방침	______________
2. crisis	______________	10. 영토, 영역, 지역	______________
3. authorize	______________	11. 포로의, 감금된; 포로	______________
4. racist	______________	12. 장관, 목사, 성직자	______________
5. maintenance	______________	13. 대표(자), 국회의원; 대표적인	______________
6. wield	______________	14. (정부) 당국, 권한, 권위	______________
7. dominate	______________	15. 외교관	______________
8. liberty	______________	16. 방어하다, 지키다	______________

B 기본 덩어리 표현 완성하기

1. 국내 정치	______________ politics	9. 위원회를 소집하다	______________ a committee
2. 독립 공화국	an independent ______________	10. 여론 조사를 시행하다	conduct a ______________
3. 인종 차별의 희생자	a victim of ______________	11. 종교 개혁	religious ______________
4. 자기방어	self-______________	12. 급진적인 사상	______________ ideas
5. 대사관 공무원들	______________ officials	13. 문맹과의 전쟁을 선포하다	______________ war on illiteracy
6. 이민 오는 것을 허가받은	permitted to ______________	14. 부패한 정권	a ______________ regime
7. 우세한 지위를 얻다	achieve a ______________ position	15. 성급한 결론을 내리다	make a hasty ______________
8. 타협에 이르다	reach a ______________	16. 대통령 선거 입후보자	a presidential ______________

▶ 정답 p. 203

C 내신 기출 유형 밑줄 친 단어와 의미가 같은 표현 고르기

선택지 단어 뜻 쓰며 더블 체크!

1. The country has territorial disputes to solve.

   ① conflicts ② candidates ③ conclusions ④ defenses

2. The government should stop policies that restrict the freedoms of its citizens.

   ① declare ② maintain ③ defend ④ restrain

3. Totalitarianism is a political system where the state dominates its people in all aspects.

   ① reforms ② governs ③ corrupts ④ assembles

4. The committee issued standard manuals on crisis control to enhance collaboration among government agencies.

   ① prestige ② emergency ③ compromise ④ official

D 수능 기출 유형 문맥상 알맞은 단어 고르기

1. (1) As early as May the new bill will be discussed by the city [council / counsel].
   (2) The student called to seek his teacher's [council / counsel] about his career.

2. (1) He seems to wield absolute [accord / authority] and power in performing the ceremony.
   (2) Politicians should reach the [accord / authority] to lessen the gap between the rich and the poor.

3. The institution holds very traditional and [conservative / radical] views, so it is often slow to accept new and unfamiliar things.

4. They elected their own representatives in [democratic / diplomatic] voting processes and held regular general assemblies.

5. Born in Seoul, Yura [immigrated / emigrated] with her family to Canada as an infant and gained citizenship at the age of 15.

DAY 26 질서/복지

STEP 1
Single Words
군더더기 없이 핵심에 집중

01 ★★☆	**constitution** [kɑ̀nstətjú:ʃən]	명 헌법, 체질	헌법 초안을 작성하다	draft the ________
			매우 건강한 체질	an extremely strong ________
02 ★★★	**justice** [dʒʌ́stis]	명 사법, 정의	국제 사법 재판소	International Court of ________
			정의를 위해 싸우다	fight for ________
03 ★★★	**trial** [tráiəl]	명 재판, 시도, 시험	재판을 중지시키다	stop the ________
			시행착오	________ and error
04 ★☆☆	**jury** [dʒúəri]	명 배심원단, 심사위원	배심 제도	a ________ system
			올해의 심사위원상	this year's ________ prize
05 ★★★	**swear** [swɛər]	동 맹세하다, 욕하다	충성을 맹세하다	________ an oath of allegiance
			큰 소리로 욕하다	________ loudly
06 ★★☆	**accuse** [əkjú:z]	동 고발하다, 비난하다	그녀를 절도 혐의로 고발하다	________ her of being a thief
			공개적으로 비난하다	publicly ________
07 ★☆☆	**sue** [su:]	동 고소하다, 소송을 제기하다	이혼 소송을 제기하다	________ for divorce
			TIP	Sue me!는 '어디 한번 마음대로 해봐!'라는 뜻.
08 ★★★	**appeal** [əpí:l]	명 항소, 호소, 간청 동 항소하다, 호소하다	항소를 제기하다	file an ________
			대중에 호소하다	________ to the public
09 ★★☆	**notorious** [noutɔ́:riəs]	형 악명 높은	악명 높은 은행 강도	a ________ bank robber
			질이 형편없기로 악명 높은	________ for poor quality
10 ★★☆	**suspect**	[səspékt] 동 의심하다, 혐의를 두다 [sʌ́spekt] 명 용의자, 혐의자	그를 도둑으로 의심하다	________ him of stealing
			살인 용의자	a murder ________

공부한 날 1회 월 일 2회 월 일 3회 월 일

11 ★★★
witness [wítnis]
㊐ 목격하다, 증언하다
㊔ 목격자, 증인

사고를 목격하다	______ the accident
증인으로 서다	stand as a ______

12 ★★★
release [rilíːs]
㊐ 석방하다, 공개하다
㊔ 석방, 공개, 개봉

그를 석방하기로 결정하다	decide to ______ him
영화 개봉 날짜	movie ______ dates

13 ★★★
arrest [ərést]
㊐ 체포하다, 막다
㊔ 체포, 저지, 정지

용의자를 체포하다	______ a suspect
당신을 체포합니다!	You're under ______!

14 ★★★
ban [bæn]
㊐ 금지하다
㊔ 금지

플라스틱 사용을 금지하다	______ the use of plastics
흡연 금지	a ______ on smoking

15 ★★★
prohibit [prouhíbit]
㊐ 금지하다, 금하다

동물을 죽이는 것을 금지하다	______ killing animals

TIP 반의어 allow(허락하다), permit(허락하다, 허가하다)

16 ★★☆
fraud [frɔːd]
㊔ 사기, 사기꾼

컴퓨터 사기 사건	a computer ______ case
그는 거짓말쟁이에다 사기꾼이다.	He is a liar and a ______.

17 ★★☆
norm [nɔːrm]
㊔ 표준, 기준, 규범

기준을 세우다	establish a ______
사회적 규범	social ______s

18 ★★★
submit [səbmít]
㊐ (서류·계획 등을) 제출하다, 항복하다, 굴복하다

법안을 제출하다	______ the bill

TIP 어원 sub(밑에)+mit(보내다)='누군가의 아래로 보내다'라는 의미에서 나온 뜻.

19 ★☆☆
patent [pǽtnt]
㊔ 특허(권), 인가
㊗ 특허의

특허권을 신청하다	apply for a ______
특허 변호사	a ______ lawyer

20 ★★★
priority [praiɔ́ːrəti]
㊔ 우선(권), 우선 사항

교육에 우선을 두다	give ______ to education
최고 우선 사항	a top ______

STEP 2

Word Pairs

관련어 '쌍'으로 암기

알쏭달쏭 혼동어

No.	Word	Meaning	Korean phrase	English phrase
21	**principle** [prínsəpl]	명 원칙, 원리, 주의	근본 원칙	a fundamental ______
	principal [prínsəpəl]	형 주요한 / 명 총장, 교장	주요한 이유들 중 하나	one of the ______ reasons
22	**conform** [kənfɔ́:rm]	동 따르다, 일치하다	교통 규칙을 따르다	______ to the traffic rules
	confirm [kənfə́:rm]	동 확인하다, 확정하다	예약을 확인하다	______ a reservation

반대의 뜻 반의어

No.	Word	Meaning	Korean phrase	English phrase
23	**legal** [lí:gəl]	형 법률의, 합법적인	무료 법률 자문을 제공하다	give free ______ advice
	illegal [ilí:gəl]	형 불법적인	불법 행위	an ______ act
24	**order** [ɔ́:rdər]	명 명령, 순서, 주문 / 동 명령하다, 주문하다	명령을 따르다	obey an ______
	disorder [disɔ́:rdər]	명 무질서, 장애	공공 무질서	public ______

살짝 바꾼 파생어

No.	Word	Meaning	Korean phrase	English phrase
25	**detect** [ditékt]	동 발견하다, 감지하다	화재를 감지하다	______ a fire
	detective [ditéktiv]	명 형사, 탐정 / 형 탐정의	사설탐정을 고용하다	hire a private ______

TIP 어원 de(반대)+tect(덮다)='덮여져 있던 것을 들추다'라는 의미에서 나온 뜻.

No.	Word	Meaning	Korean phrase	English phrase
26	**crime** [kraim]	명 범죄, 범행, 죄악	범죄 현장을 목격하다	witness a ______ scene
	criminal [kríminl]	형 범죄의, 형사상의 / 명 범인, 범죄자	범인을 잡다	catch a ______
27	**convict** [kənvíkt]	동 유죄를 선고하다	무고한 사람에게 유죄를 선고하다	______ an innocent person
	conviction [kənvíkʃən]	명 유죄 선고, 확신, 신념	이전에 받은 유죄 선고(전과)	a previous ______
28	**investigate** [invéstəgèit]	동 수사하다, 조사하다	사건을 철저히 수사하다	______ a case thoroughly
	investigation [invèstəgéiʃən]	명 수사, 조사	경찰 조사	a police ______
29	**justify** [dʒʌ́stəfài]	동 정당화하다, 해명하다	자신의 행동을 정당화하다	______ one's behavior
	justification [dʒʌstəfikéiʃən]	명 정당화, 타당한 이유, 명분	명분이 없다.	There is no ______.

발음+짤강

No.	Word	Pronunciation	Meaning	예시	Phrase
30	**regulate**	[régjulèit]	동 규제하다, 조절하다	불법 마약을 규제하다	________ illegal drugs
	regulation	[règjuléiʃən]	명 규제, 규정 형 규정된	안전 규정	safety ________

TIP reg/reig은 '지배하다'라는 뜻. e.g. **reg**ular(규칙적인, 정규의), **reig**n(통치 기간; 통치하다)

No.	Word	Pronunciation	Meaning	예시	Phrase
31	**commit**	[kəmít]	동 저지르다, 약속하다	중죄를 저지르다	________ a serious crime
	commitment	[kəmítmənt]	명 약속, 전념, 헌신	헌신하다	make a ________
32	**adhere**	[ædhíər]	동 고수하다, 들러붙다	그 정책을 고수하다	________ to the policy
	adherence	[ædhí:ərəns]	명 고수, 엄수	엄격한 규칙 엄수	strict ________ to rules
33	**evident**	[évədənt]	형 분명한, 명백한	명백한 증거	________ proof
	evidence	[évədəns]	명 증거 동 증언하다, 증거가 되다	새로운 증거를 발견하다	find fresh ________
34	**equivalent**	[ikwívələnt]	형 동등한, 맞먹는 명 동등한 것	종신형과 동등한	________ to a life sentence
	equivalence	[ikwívələns]	명 동등, 등가	질량 에너지 등가성	mass-energy ________
35	**violent**	[váiələnt]	형 폭력적인, 격렬한	폭력적인 범죄	________ crime
	violence	[váiələns]	명 폭력, 격렬함	학교 폭력	school ________
36	**guilt**	[gilt]	명 죄책감, 유죄, 책임	엄청난 죄책감	enormous ________
	guilty	[gílti]	형 죄책감이 드는, 유죄의	유죄를 인정하다	plead ________
37	**eventual**	[ivéntʃuəl]	형 궁극적인, 최후의	최종 승자	the ________ winner
	eventually	[ivéntʃuəli]	부 결국, 마침내	결국 문제를 일으키다	________ cause trouble
38	**prison**	[prízn]	명 교도소, 감옥	감옥에서 풀려나다	get out of ________
	imprison	[imprízn]	동 투옥하다, 수감하다	수십 년 동안 수감된	________ed for decades

STEP 3

Review

A 예비 영단어 또는 우리말 뜻 쓰기

1. guilty ______
2. regulate ______
3. imprison ______
4. commitment ______
5. fraud ______
6. equivalence ______
7. jury ______
8. justification ______
9. 의심하다, 혐의를 두다; 용의자 ______
10. 수사, 조사 ______
11. 재판, 시도, 시험 ______
12. 특허(권), 인가; 특허의 ______
13. 무질서, 장애 ______
14. 악명 높은 ______
15. 석방하다, 공개하다; 석방, 개봉 ______
16. 고수, 엄수 ______

B 기본 덩어리 표현 완성하기

1. 정의를 위해 싸우다 fight for ______
2. 감옥에서 풀려나다 get out of ______
3. 항소를 제기하다 file an ______
4. 증인으로 서다 stand as a ______
5. 이혼 소송을 제기하다 ______ for divorce
6. 폭력적인 범죄 ______ crime
7. 최고 우선 사항 a top ______
8. 명령을 따르다 obey an ______
9. 불법 행위 an ______ act
10. 이전에 받은 유죄 선고 a previous ______
11. 충성을 맹세하다 ______ an oath of allegiance
12. 자신의 행동을 정당화하다 ______ one's behavior
13. 법안을 제출하다 ______ the bill
14. 결국 문제를 일으키다 ______ cause trouble
15. 헌법 초안을 작성하다 draft the ______
16. 범인을 잡다 catch a ______

▶ 정답 p. 203

C 내신 기출 유형 밑줄 친 단어와 의미가 같은 표현 고르기

선택지 단어 뜻 쓰며 더블 체크!

1. They are planning to ban smoking from all public areas.

   ① prohibit ______ ② witness ______ ③ accuse ______ ④ swear ______

2. It was evident to all of us that he was innocent.

   ① legal ______ ② equivalent ______ ③ obvious ______ ④ criminal ______

3. In Britain, the eventual authority is the Prime Minister.

   ① notorious ______ ② ultimate ______ ③ detective ______ ④ patent ______

4. Both sides committed themselves wholeheartedly to negotiate the deal and find a solution helpful to all.

   ① arrested ______ ② ordered ______ ③ investigated ______ ④ pledged ______

D 수능 기출 유형 문맥상 알맞은 단어 고르기

1. (1) The [principal / principle] of our school usually delivers a long speech.
   (2) In law, an agreement in [principal / principle] is a stepping stone to a contract.

2. (1) The building does not [confirm / conform] with safety laws.
   (2) One good way to [confirm / conform] an appointment is by giving detailed information.

3. The new [justification / regulation] is expected to come into force this year.

4. People gathered together to call for an end to the [evidence / violence].

5. The software uses a computerized voice stress analyzer to [convict / detect] lies or truth.

DAY 27

경제/산업

STEP 1
Single Words
군더더기 없이 핵심에 집중

01 ★☆☆	**monetary** [mánətèri]	형 통화의, 화폐의	통화 팽창	______ growth
			화폐 개혁을 실행하다	carry out ______ reform
02 ★★★	**budget** [bʌ́dʒit]	명 예산(안), 비용 동 예산을 세우다	연간 예산	an annual ______
			새 차 구입을 위해 예산을 세우다	______ for buying a new car
03 ★★★	**estimate**	[éstəmət] 명 추정, 견적, 평가 [éstəmèit] 동 추산하다, 평가하다	낙관적 추정	an optimistic ______
			TIP	estimate는 수량이나 가격, 가치 등을 어림잡아 평가하는 것을 나타내고 evaluate는 성적이나 실력 등의 내면적 가치를 평가하는 것을 가리킴.
04 ★★★	**owe** [ou]	동 빚지다, 신세지다	돈을 빚지다	______ money
			나는 네게 신세를 졌다.	I ______ you one.
05 ★★★	**debt** [det]	명 부채, 빚, 신세	10억 달러의 부채	a ______ of one billion dollars
			신세를 지다	owe a ______ of gratitude
06 ★★★	**loan** [loun]	명 대출(금) 동 대출하다, 빌려주다	대출을 받다	get a ______
			내 재킷을 그에게 빌려주다	______ him my jacket
07 ★★★	**amount** [əmáunt]	명 총액, 합계, 양 동 합계가 달하다	보조금 총액	the ______ of a grant
			합계가 수백만 달러에 달하다	______ to millions of dollars
08 ★★★	**guarantee** [gærəntí:]	명 보증, 담보, 약속 동 보장하다, 보증하다	보증서	a letter of ______
			TIP	우리말로 흔히 '출연자에게 개런티(guarantee)를 지급하다'라고도 하는데 '출연료'의 일반적인 영어 표현은 a performance fee임.
09 ★★☆	**deposit** [dipázit]	명 (은행) 예금, 보증금 동 예금하다, 두다, 맡기다	주택 보증금	a housing ______
			은행에 예금하다	______ money in a bank
10 ★★☆	**withdraw** [wiðdrɔ́:]	동 인출하다, 물러나게 하다, 철수시키다	돈을 인출하다	______ money
			군대를 철수시키다	______ troops

공부한 날 1회 | 월 일 2회 | 월 일 3회 | 월 일

11 ★★★	**interest** [íntərəst]	명 이자, 이익, 흥미 동 관심을 끌다	높은 이율	high rates of ______
			그 퍼즐이 내 관심을 끌었다.	The puzzle ______ed me.
12 ★★★	**account** [əkáunt]	명 계좌, 설명 동 간주하다, 설명하다	예금 계좌를 개설하다	open a savings ______
			TIP 파생어	accountable(책임이 있는, 설명할 수 있는), accountant(회계사), accounting(회계, 계산)
13 ★★★	**purchase** [pə́ːrtʃəs]	명 구입, 구매 동 구입하다, 구매하다	구입 가격	the ______ price
			필요한 물품을 구입하다	______ necessary items
14 ★★☆	**commission** [kəmíʃən]	명 수수료, 위탁, 위원회 동 의뢰하다	수수료를 청구하다	charge a ______
			초상화를 의뢰하다	______ a portrait
15 ★★★	**client** [kláiənt]	명 고객, 의뢰인	잠재 고객에게 접근하다	approach potential ______s
			의뢰인을 보호하다	protect the ______
16 ★★★	**insurance** [inʃúərəns]	명 보험, 보험료, 보험금	여행 보험	travel ______
			자동차 보험료를 지불하다	pay for car ______
17 ★★★	**discount**	[dískaunt] 명 할인 [diskáunt] 동 할인하다, 무시하다	할인을 해 주다	offer a ______
			TIP 어원	dis(반대)+count(계산하다)='더하지 않고 반대로 빼면서 계산하다'라는 의미에서 나온 뜻.
18 ★★☆	**soar** [sɔːr]	동 급등하다, 날아오르다	가격이 급등하다	prices ______
			새가 날아오르다	birds ______
19 ★★★	**afford** [əfɔ́ːrd]	동 여유가 되다, 제공하다	집을 살 여유가 되다	______ to buy a house
			모든 편의를 제공하다	______ every facility
20 ★★★	**excessive** [iksésiv]	형 과도한, 지나친	과도한 공급	______ supply
			지나친 요구를 하다	make ______ demands

DAY 27 | 경제/산업

STEP 2
Word Pairs
관련어 '쌍'으로 암기

알쏭달쏭 **혼동어**

No.	Word	Meaning	Korean phrase	English phrase
21	**economic** [èkənámik]	형 경제의	경제 성장	________ growth
	economical [èkənámikəl]	형 경제적인, 알뜰한	작고 경제적인 차	a small and ________ car
22	**fund** [fʌnd]	명 기금, 자금 동 자금을 대다	기금을 모으다	raise ________s
	refund [ríːfʌnd] 명 환불 [riːfʌ́nd] 동 환불하다		세금을 환불받다	receive a tax ________
23	**fee** [fiː]	명 수수료, 요금	추가 요금	an additional ________
	pee [piː]	동 오줌을 누다 명 오줌	오줌을 누다	take a ________

비슷한 뜻 **유의어**

No.	Word	Meaning	Korean phrase	English phrase
24	**inexpensive** [ìnikspénsiv]	형 비싸지 않은, 값이 싼	상대적으로 저렴한 가격	relatively ________ prices
	cheap [tʃiːp]	형 값이 싼, 싸구려의	값이 싸고 질이 나쁜 제품들	________ and nasty products

TIP inexpensive는 품질은 좋은데 가격이 저렴한 경우를 나타내고 cheap은 가격은 싸지만 품질은 좋지 않은 경우를 가리킴.

반대의 뜻 **반의어**

No.	Word	Meaning	Korean phrase	English phrase
25	**import** [ímpɔːrt] 명 수입(품) [impɔ́ːrt] 동 수입하다		원유 수입	oil ________s
	export [ékspɔːrt] 명 수출(품) [ikspɔ́ːrt] 동 수출하다		쌀을 유럽에 수출하다	________ rice to Europe
26	**profit** [práfit]	명 이익, 수익 동 이익을 얻다	수익 하락	a drop in ________s
	loss [lɔːs]	명 손실, 줄임, 감소	체중 감소	weight ________
27	**wholesale** [hóulsèil]	명 도매 형 도매의, 대량의	도매상	a ________ merchant
	retail [ríːteil]	명 소매 형 소매의	온라인 소매 사업	an online ________ business

살짝 바꾼 **파생어**

No.	Word	Meaning	Korean phrase	English phrase
28	**invest** [invést]	동 투자하다, (시간·노력 등을) 쏟다	부동산에 투자하다	________ in real estate
	investment [invéstmənt]	명 투자, 투자액	대규모 투자	massive ________
29	**possess** [pəzés]	동 소유하다, (능력·성격 등을) 지니다	토지를 소유하다	________ land
	possession [pəzéʃən]	명 소유, 보유, 소지품	독점 소유	exclusive ________

No.	단어	뜻	예문 (한)	예문 (영)
30	**distribute** [distríbju:t]	동 분배하다, 나누다, 유통시키다	노숙자에게 음식을 나눠주다	________ food to the homeless
	distribution [dìstrəbjú:ʃən]	명 분배, 유통	유통비	________ costs

TIP 혼동어 attribute(…의 탓으로 보다), contribute(기여하다, 공헌하다, 기부하다)

No.	단어	뜻	예문 (한)	예문 (영)
31	**bankrupt** [bǽŋkrʌpt]	형 파산한, 결핍된 명 파산자 동 파산시키다	파산하다	become ________
	bankruptcy [bǽŋkrəptsi]	명 파산, 부도	파산을 선언하다	declare ________
32	**current** [kə́:rənt]	형 현재의, 통용되는 명 흐름, 조류	현재 환율	the ________ rate of exchange
	currency [kə́:rənsi]	명 통화, 통용	외화를 벌어들이다	earn foreign ________
33	**consume** [kənsú:m]	동 소비하다, 먹다	천연가스를 소비하다	________ natural gas
	consumer [kənsú:mər]	명 소비자	국내 소비자	domestic ________s
34	**exceed** [iksí:d]	동 넘다, 초과하다	견적을 초과하다	________ an estimate
	excess	[iksés] 명 과잉, 초과 [ékses] 형 초과한	초과 이익을 투자하다	invest ________ profit
35	**benefit** [bénəfit]	명 이익, 혜택 동 이익을 얻다	장기적인 경제 이익	long-term economic ________
	beneficial [bènəfíʃəl]	형 유익한, 이로운	이로운 결과를 만들다	produce ________ results
36	**manage** [mǽnidʒ]	동 경영하다, 운영하다, 간신히 해내다	상점을 운영하다	________ a store
	manageable [mǽnidʒəbl]	형 관리할 수 있는, 다루기 쉬운	계획을 관리할 수 있게 유지하다	keep the plan ________
37	**fortune** [fɔ́:rtʃən]	명 재산, 운	큰 재산을 소유하다	possess a large ________
	fortunate [fɔ́:rtʃənət]	형 운 좋은	우리 스스로 운이 좋다고 여기다	consider ourselves ________
38	**finance** [finǽns]	명 자금, 재정 동 자금을 대다	공적 자금	public ________s
	financially [finǽnʃəli]	부 재정적으로	재정적으로 후원하다	support ________

STEP 3

Review

A 예비 영단어 또는 우리말 뜻 쓰기

1. invest ______
2. economical ______
3. currency ______
4. distribute ______
5. withdraw ______
6. import ______
7. deposit ______
8. account ______
9. 재산, 운 ______
10. 소비하다, 먹다 ______
11. 도매; 도매의, 대량의 ______
12. 유익한, 이로운 ______
13. 파산, 부도 ______
14. 재정적으로 ______
15. 넘다, 초과하다 ______
16. 소유하다, 지니다 ______

B 기본 덩어리 표현 완성하기

1. 화폐 개혁을 실행하다 carry out ______ reform
2. 파산하다 become ______
3. 대규모 투자 massive ______
4. 의뢰인을 보호하다 protect the ______
5. 여행 보험 travel ______
6. 구입 가격 the ______ price
7. 내 재킷을 그에게 빌려주다 ______ him my jacket
8. 모든 편의를 제공하다 ______ every facility
9. 보증서 a letter of ______
10. 온라인 소매 사업 an online ______ business
11. 국내 소비자 domestic ______s
12. 신세를 지다 owe a ______ of gratitude
13. 쌀을 유럽에 수출하다 ______ rice to Europe
14. 가격이 급등하다 prices ______
15. 보조금 총액 the ______ of a grant
16. 상점을 운영하다 ______ a store

▶ 정답 p. 204

C 내신 기출 유형 밑줄 친 단어와 의미가 같은 표현 고르기

선택지 단어 뜻 쓰며 더블 체크!

1. You should draw up an estimate of future expenses.

① a refund ② a client ③ a finance ④ a budget

2. Surprisingly, significant financial profit is often the result of firms lowering their prices.

① debt ② loss ③ excess ④ loan

3. The company manufactures inexpensive products and sells them at low prices.

① cheap ② manageable ③ excessive ④ fortunate

4. Cashless operations are not free; banks charge a commission on each and every deal we make.

① pee ② fee ③ possession ④ distribution

D 수능 기출 유형 문맥상 알맞은 단어 고르기

1. (1) The newspaper launched a [fund / refund] for victims of the bridge collapse.
   (2) You can get a full [fund / refund] by returning the unused ticket to the ticket office.

2. (1) The euro (€) is the official [currency / current] of the European Union.
   (2) The proposal is aimed at helping companies to overcome [currency / current] financial difficulties.

3. (1) The process is very [economic / economical]. It does not cost a lot of money.
   (2) The specialist expects the [economic / economical] situation to improve over the next 12 months.

4. Nearly two-thirds of the households preferred to [benefit / deposit] their money.

5. My mother transferred money to my bank [account / discount] in the amount of 500 dollars.

DAY 28 환경

STEP 1 Single Words

군더더기 없이 핵심에 집중

No.	Word	Meaning	Korean	Example
01 ★★★	**ecosystem** [i:kousìstəm]	명 생태계	해양 생태계	a marine ______
			TIP	eco-가 앞에 붙으면 '환경, 생태'와 관련된 뜻.
02 ★★★	**endangered** [indéindʒərd]	형 멸종 위기에 처한	멸종 위기에 처한 동물들	______ animals
			멸종 위기 종	an ______ species
03 ★★★	**surface** [sə́:rfis]	명 표면, 외관 형 표면의 동 겉으로 드러나다	달의 표면	the ______ of the moon
			의혹들이 드러나기 시작했다.	Doubts began to ______.
04 ★★★	**garbage** [gá:rbidʒ]	명 쓰레기	쓰레기통	a ______ can
			쓰레기를 버리다	throw away ______
05 ★★☆	**landfill** [lǽndfil]	명 쓰레기 매립지	고체 폐기물 매립지	a solid waste ______
			쓰레기 매립지에 남아 있다	remain in ______s
06 ★★★	**sweep** [swi:p]	동 쓸다, 휩쓸고 가다 명 쓸기, 밀려오기, 흐름	바닥을 쓸다	______ the floor
			조류의 흐름	the ______ of the current
07 ★★★	**ruin** [rú:in]	동 파괴하다, 망가뜨리다 명 파괴, 붕괴, 폐허	그 숲은 파괴되었다.	The forest was ______ed.
			붕괴되다	go to ______
08 ★★☆	**devastate** [dévəstèit]	동 황폐화시키다, 파괴하다, 망연자실하게 하다	남쪽 지역을 황폐화시키다	______ the southern region
			상심이 크시겠어요.	You must be ______d.
09 ★★★	**atmosphere** [ǽtməsfìər]	명 대기, 공기, 분위기	연기가 자욱한 대기	a smoky ______
			TIP	어원 atmo(공기의)+sphere(구)='지구를 둘러싼 공기'라는 뜻.
10 ★★☆	**moderate**	[mádərət] 형 온화한, 보통의, 적당한 [mádərèit] 동 누그러지다, 완화되다	적당한 크기의 나무들	______-sized trees
			더위가 누그러졌다.	The heat has ______d.

발음+짤강

공부한 날 1회 | 월 일 2회 | 월 일 3회 | 월 일

No.	단어	뜻	예시 (뜻)	예시
11 ★★★	**variety** [vəráiəti]	명 종류, 품종, 여러 가지, 다양성	여러 가지 여가 활동	a ______ of leisure activities
			새로운 품종의 장미	a new ______ of rose
12 ★★★	**creature** [kríːtʃər]	명 생물, 생명체, 창조물	모든 살아 있는 생물	all living ______s
			신화 속의 창조물	mythical ______s
13 ★★☆	**hybrid** [háibrid]	명 (동·식물 등의) 잡종, 혼합물 형 잡종의	인간 동물 혼합 복제	human-animal ______ cloning
			잡종 종자	a ______ seed
14 ★★☆	**herd** [həːrd]	명 (대형 동물의) 떼, 한 무리의 사람들 동 이동하다, (짐승을) 몰다	거대한 소떼	a large ______ of cows
			양을 몰다	______ the sheep
15 ★★☆	**litter** [lítər]	명 쓰레기, 잡동사니, 흐트러진 상태 동 어지르다, 더럽히다	쓰레기를 줍다	pick up ______
			TIP	litter는 공공장소의 바닥에 흩어져 있는 작은 쓰레기 조각을 가리키고 garbage는 부엌이나 상점 등에서 나오는 부스러기나 찌꺼기 등의 쓰레기를 나타냄.
16 ★☆☆	**hatch** [hætʃ]	동 부화하다 명 부화, 출입구	병아리가 부화했다.	Chicks ______ed out.
			탈출구	an escape ______
17 ★★☆	**pesticide** [péstisàid]	명 살충제, 농약	살충제를 뿌리다	spray ______
			TIP	어원 pest(해충)+cide(죽임)='해충을 죽이는 것'이라는 의미에서 나온 뜻.
18 ★★★	**acid** [ǽsid]	형 산성의, (맛이) 신 명 산	산성비	______ rain
			아미노산	amino ______s
19 ★★☆	**rotten** [rátn]	형 썩은, 부패한 부 아주, 심하게	썩은 채소	______ vegetables
			아이들 버릇을 심하게 망쳐놓다	spoil the children ______
20 ★☆☆	**sanitary** [sǽnətèri]	형 위생의, 깨끗한	위생 상태	______ conditions
			위생 장갑을 끼다	wear ______ gloves

DAY 28 | 환경

STEP 2

Word Pairs

관련어 '쌍'으로 암기

알쏭달쏭 혼동어

No.	Word	Meaning	Korean phrase	Phrase
21	**alternative** [ɔːltə́ːrnətiv]	명 대안, 선택 가능한 것 형 대체 가능한	대체 에너지원	______ energy sources
	alternate [ɔ́ːltərnət] / [ɔ́ːltərnèit]	형 번갈아 하는, 상호간의 동 번갈아 하다	격일로 일하다	work on ______ days
22	**variable** [vɛ́əriəbl]	형 변동이 심한, 변덕스러운 명 변수	변덕스러운 날씨	______ weather
	various [vɛ́əriəs]	형 여러 가지의, 다양한	각종 질병에 시달리다	suffer from ______ diseases

비슷한 뜻 유의어

No.	Word	Meaning	Korean phrase	Phrase
23	**surroundings** [səráundiŋz]	명 환경, 주위의 상황	자연 야생 환경	natural wild ______
	circumstance [sə́ːrkəmstæ̀ns]	명 환경, 상황, 형편	보통 상황에서	in normal ______s
24	**damp** [dæmp]	형 축축한 명 습기, 축축함	축축한 습지	______ wetlands
	moist [mɔist]	형 촉촉한, 습한	따뜻하고 촉촉한 공기	a warm ______ atmosphere

TIP damp는 불쾌감을 줄 정도로 눅눅한 상태를 가리키고 moist는 기분 좋게 촉촉한 상태를 나타냄.

반대의 뜻 반의어

No.	Word	Meaning	Korean phrase	Phrase
25	**direct** [dirékt]	형 직접적인, 직행의 동 향하다, 지휘하다	직접적인 영향이 있다	have a ______ effect
	indirect [ìndərékt]	형 간접적인	간접 이익	an ______ advantage
26	**harmful** [háːrmfəl]	형 해로운, 유해한	해충을 죽이다	kill ______ insects
	harmless [háːrmlis]	형 해가 없는, 악의 없는	인간에게 해가 없는	______ to humans

살짝 바꾼 파생어

No.	Word	Meaning	Korean phrase	Phrase
27	**conserve** [kənsə́ːrv]	동 보호하다, 보존하다	서식지를 보호하다	______ habitats
	conservation [kɑ̀nsərvéiʃən]	명 보호, 보존	자연 보호 구역	a nature ______ area
28	**destroy** [distrɔ́i]	동 파괴하다, 죽이다	생태계를 파괴하다	______ the ecosystem
	destruction [distrʌ́kʃən]	명 파괴, 말살	문명의 파괴	the ______ of civilization
29	**extinct** [ikstíŋkt]	형 멸종된, 폐지된	멸종 생물 유전자	genes of ______ creatures
	extinction [ikstíŋkʃən]	명 멸종, 소멸	멸종 위기에 처한	in danger of ______

No.	Word	Meaning	예문 뜻	Phrase
30	**pollute** [pəlú:t]	동 오염시키다	환경을 오염시키다	______ the environment
	pollution [pəlú:ʃən]	명 오염, 공해	토양 오염	soil ______
31	**preserve** [prizə́:rv]	동 보호하다, 보존하다	야생 동물을 보호하다	______ wildlife
	preservation [prèzərvéiʃən]	명 보호, 보존	환경 보호	environmental ______
32	**emit** [imít]	동 (빛·열·가스 등을) 방출하다, 내뿜다	빛과 열을 내뿜다	______ light and heat
	emission [imíʃən]	명 (빛·열·가스 등의) 배출, 배출물, 배기가스	온실가스 배출물	greenhouse gas ______
33	**urgent** [ə́:rdʒənt]	형 긴급한, 절박한	절박한 위기	an ______ crisis
	urgency [ə́:rdʒənsi]	명 긴급, 위급, 절박	상황의 긴급함	______ of the situation
34	**ecology** [ikálədʒi]	명 생태, 생태학	생태 (보존) 운동	the ______ movement
	ecologist [ikálədʒist]	명 생태학자, 생태 운동가	식물 생태학자	a plant ______
35	**purify** [pjúərəfài]	동 정화하다, 정제하다	물을 정화하다	______ water
	purifier [pjúərəfàiər]	명 정화 장치	공기 정화 장치	an air ______
36	**risk** [risk]	명 위험 동 위태롭게 하다, 위험을 무릅쓰다	화재 위험	a fire ______
	risky [ríski]	형 위험한, 무모한	무모한 투자	a ______ investment
37	**threat** [θret]	명 위협, 우려, 조짐	멸종 위협에 있는	under ______ of extinction
	threaten [θrétn]	동 위협하다, 협박하다	생존을 위협하다	______ survival
38	**immediate** [imí:diət]	형 즉각적인, 직접적인	즉각적인 반응	an ______ reaction
	immediately [imí:diətli]	부 즉시, 당장에, 직접적으로	즉시 응답하다	respond ______

TIP 어원 im(…이 아닌)+mediate(중간)='중간에 끼어드는 것이 없이 즉시, 직접'이라는 뜻.

STEP 3
Review

A 예비 영단어 또는 우리말 뜻 쓰기

1. purifier ______________________
2. devastate ______________________
3. conservation ______________________
4. ecosystem ______________________
5. alternate ______________________
6. endangered ______________________
7. destruction ______________________
8. risky ______________________
9. 오염, 공해 ______________________
10. 생태, 생태학 ______________________
11. 대기, 공기, 분위기 ______________________
12. 해로운, 유해한 ______________________
13. 즉시, 당장에, 직접적으로 ______________________
14. 위협하다, 협박하다 ______________________
15. 멸종, 소멸 ______________________
16. 긴급, 위급, 절박 ______________________

B 기본 덩어리 표현 완성하기

1. 인간에게 해가 없는 ____________ to humans
2. 거대한 소떼 a large ____________ of cows
3. 고체 폐기물 매립지 a solid waste ____________
4. 병아리가 부화했다. Chicks ____________ed out.
5. 즉각적인 반응 an ____________ reaction
6. 모든 살아 있는 생물 all living ____________s
7. 조류의 흐름 the ____________ of the current
8. 더위가 누그러졌다. The heat has ____________d.
9. 간접 이익 an ____________ advantage
10. 빛과 열을 내뿜다 ____________ light and heat
11. 물을 정화하다 ____________ water
12. 화재 위험 a fire ____________
13. 살충제를 뿌리다 spray ____________
14. 위생 상태 ____________ conditions
15. 달의 표면 the ____________ of the moon
16. 썩은 채소 ____________ vegetables

▶ 정답 p. 204

C 내신 기출 유형 밑줄 친 단어와 의미가 같은 표현 고르기

선택지 단어 뜻 쓰며 더블 체크!

1. Hurricanes need a moist atmosphere to survive.

① a damp ② an acid ③ a hybrid ④ a surface

2. After a turbulent first few months, he finally feels comfortable in his new surroundings.

① varieties ② threats ③ circumstances ④ reflections

3. When there is a garbage can on the street, it attracts garbage.

① landfill ② litter ③ ruin ④ emission

4. A legal agreement was made between a property owner and an authorized preservation organization to preserve a historic site.

① pollute ② sweep ③ continue ④ conserve

D 수능 기출 유형 문맥상 알맞은 단어 고르기

1. (1) He has no [alternate / alternative] but to cross the bridge.
   (2) On a checkerboard, black squares [alternate / alternative] with white ones.

2. (1) Age is another [variable / various] in bringing about diversity.
   (2) Orangutans have evolved in [variable / various] ways including losing the tail.

3. (1) An animal shelter put out an [extinct / urgent] appeal for water donations.
   (2) The dodo bird inhabited the island of Mauritius in the Indian Ocean and became [extinct / urgent] in the 1600s.

4. A study suggests [endangered / moderate] protein intake may be best for health.

5. When the wedding was postponed, she was [destroyed / devastated] and cried for several days.

DAY 29 자원

STEP 1

Single Words

군더더기 없이 핵심에 집중

No.	Word	Meaning	Phrase (Korean)	Phrase
01 ★★★	**resource** [ríːsɔːrs]	명 자원, 재원, 원천	천연자원	a natural ______
			정보의 좋은 원천	a good ______ for information
02 ★★★	**wasteful** [wéistfəl]	형 낭비하는, 비경제적인	자원 낭비	______ use of resources
			비경제적인 방법들	______ methods
03 ★★★	**disposable** [dispóuzəbl]	형 일회용의, 이용 가능한	일회용 종이컵	______ paper cups
			TIP	파생어 dispose(처리하다), disposal(처분) 반대어 recyclable(재활용할 수 있는)
04 ★★☆	**discard**	[diskɑ́ːrd] 동 버리다, 폐기하다 [dískɑːrd] 명 버리기, 버려진 것	버려진 음식 용기	______ed food containers
			그것들은 모두 버려진 것이다.	Those are all ______s.
05 ★☆☆	**depletion** [diplíːʃən]	명 고갈, 소모, 감소	수자원 고갈	______ of water sources
			오존층 감소	the ozone layer ______
06 ★☆☆	**barren** [bǽrən]	형 척박한, 황량한, 결실 없는	건조하고 척박한 지역	a dry and ______ region
			결실이 없는 논의	a ______ discussion
07 ★★★	**abundant** [əbʌ́ndənt]	형 풍부한, 풍족한, 많은	풍부한 매장량	______ reserves
			풍족한 생활을 하다	live an ______ life
08 ★★★	**severe** [sivíər]	형 극심한, 심각한, 가혹한	극심한 피해를 일으키다	cause ______ harm
			가혹한 처벌	a ______ punishment
09 ★★★	**raw** [rɔː]	형 원자재의, 가공되지 않은, 날것의	가공되지 않은 설탕(원당)	______ sugar
			날 생선을 먹다	eat ______ fish
10 ★★★	**mineral** [mínərəl]	명 광물, (영양소의) 미네랄	광물을 추출하다	extract ______s
			미네랄 섭취	______ intake

공부한 날 1회 월 일 2회 월 일 3회 월 일

11 ★★☆	**fabric** [fǽbrik]	명 직물, 천, (건물·사회 등의) 구조	면직물	cotton ____________s
			사회 구조를 파괴하다	destroy the social ____________
12 ★★☆	**fossil** [fάsəl]	명 화석	화석 연료를 태우다	burn ____________ fuels
			공룡 화석	dinosaur ____________s
13 ★★★	**consist** [kənsíst]	동 이루어지다, 구성되다, 존재하다	두 부분으로 구성되다	____________ of two parts
			TIP	파생어 consistent(한결같은, 일관된), consistency(일관성), consistently(일관되게)
14 ★★★	**agriculture** [ǽgrəkʌ̀ltʃər]	명 농업, 농사	농업에 종사하다	work in ____________
			친환경 농사	environment-friendly ____________
15 ★★★	**cultivate** [kʌ́ltəvèit]	동 경작하다, 재배하다, 기르다	작물을 재배하다	____________ crops
			TIP	cultivate와 agriculture의 cult는 '경작'이라는 뜻.
16 ★★★	**harvest** [hάːrvist]	명 수확, 수확물 동 수확하다	수확기	____________ time
			벼를 심고 수확하다	plant and ____________ rice
17 ★★★	**nuclear** [njúːkliər]	형 원자력의, 핵의	원자력 발전소	a ____________ power station
			핵에너지를 개발하다	develop ____________ energy
18 ★☆☆	**radioactive** [rèidiouǽktiv]	형 방사성의	방사성 폐기물	____________ waste
			방사성 물질을 탐지하다	detect ____________ substances
19 ★★★	**research** [risə́ːrtʃ]	명 연구, 조사 동 연구하다, 조사하다	연구 개발	____________ and development
			그 주제를 연구하다	____________ into the subject
20 ★★★	**abandon** [əbǽndən]	동 버리다, 그만두다, 포기하다 명 방종, 자유분방	조사를 그만두다	____________ investigations
			완전히 제멋대로	in reckless ____________

STEP 2

Word Pairs

관련어 '쌍'으로 암기

알쏭달쏭 혼동어

No.	Word	Meaning	Korean phrase	English phrase
21	**marble** [mɑ́ːrbl]	명 대리석, 구슬	차가운 대리석 바닥	cool ________ floors
	marvel [mɑ́ːrvəl]	명 경이, 경이로운 업적 / 동 놀라다, 경탄하다	자연 경관에 경탄하다	________ at natural landscapes
22	**cooperate** [kouɑ́pərèit]	동 협력하다, 협동하다	서로 협력하다	________ with each other
	corporate [kɔ́ːrpərət]	형 기업의, 법인의, 공동의	법인 재산	________ property

TIP cooperate의 co는 '함께'라는 뜻이고, corporate의 corp는 '조직'이라는 뜻.

비슷한 뜻 유의어

No.	Word	Meaning	Korean phrase	English phrase
23	**scarce** [skɛərs]	형 부족한, 드문	식량이 부족해지고 있다.	Food is becoming ________.
	rare [rɛər]	형 드문, 희귀한	희귀한 품종의 쌀	a ________ variety of rice

반대의 뜻 반의어

No.	Word	Meaning	Korean phrase	English phrase
24	**shortage** [ʃɔ́ːrtidʒ]	명 부족, 결핍	전력 부족	power ________
	abundance [əbʌ́ndəns]	명 풍부, 다량, 부유	천연자원의 풍부함	an ________ of natural resources
25	**increase**	[inkríːs] 동 증가하다, 늘다, 늘리다 / [ínkriːs] 명 증가, 인상	수확량을 늘리다	________ yield
	decrease	[diːkríːs] 동 감소하다, 줄다, 줄이다 / [díːkriːs] 명 감소, 하락	수량이 줄다	________ in quantity

살짝 바꾼 파생어

No.	Word	Meaning	Korean phrase	English phrase
26	**exploit** [iksplɔ́it]	동 착취하다, (자원·시장 등을) 개발하다	광물 자원을 개발하다	________ mineral resources
	exploitation [èksplɔitéiʃən]	명 착취, 개발, 이용	노동자들을 착취로부터 보호하다	protect workers from ________
27	**generate** [dʒénərèit]	동 발생시키다, 만들어 내다	원자력을 발생시키다	________ nuclear power
	generation [dʒènəréiʃən]	명 (전기·열 등의) 발생, 세대	전기의 발생(발전)	the ________ of electricity
28	**reduce** [ridjúːs]	동 줄이다, 낮추다	전력 낭비를 줄이다	________ power waste
	reduction [ridʌ́kʃən]	명 축소, 감소, 할인	탄소 배출의 감소	a ________ in carbon emissions
29	**transact** [trænsǽkt]	동 거래하다, 처리하다	온라인으로 거래하다	________ online
	transaction [trænsǽkʃən]	명 거래, 매매, 처리	국제 거래 수수료	an international ________ fee

No.	단어	뜻	예시 (우리말)	예시 (영어)
30	**transform** [trænsfɔ́:rm]	동 변형시키다, 바꾸다	전기를 열로 바꾸다	________ electricity into heat
	transformation [træ̀nsfərméiʃən]	명 변화, 변환	변화를 겪다	undergo a ________

TIP 어원 trans(다른 상태로)+form(형성하다)='모양이나 형태를 변형시키다'라는 뜻.

No.	단어	뜻	예시 (우리말)	예시 (영어)
31	**convert**	[kənvə́:rt] 동 전환시키다, 바꾸다 [kɑ́nvə:rt] 명 개종자	증기를 동력으로 전환시키다	________ steam into power
	conversion [kənvə́:rʒən]	명 전환, 변화	에너지 전환	energy ________
32	**durable** [djúərəbl]	형 내구성이 있는, 오래가는	내구성 있는 직물	________ fabrics
	durability [djùərəbíləti]	명 내구성, 내구력	내구성을 시험하다	test the ________
33	**fertile** [fə́:rtl]	형 비옥한, 기름진	척박한 땅을 비옥하게 만들다	make barren land ________
	fertility [fərtíləti]	명 비옥함, 생식력	출산율	________ rates
34	**utilize** [jú:təlàiz]	동 활용하다, 이용하다	자원을 효과적으로 활용하다	________ resources effectively
	utility [ju:tíləti]	명 유용성, 공공시설, 공공요금 형 다용도의	공공요금을 인상하다	increase ________ bills
35	**deficient** [difíʃənt]	형 부족한, 결함이 있는	비타민 D가 부족한	________ in vitamin D
	deficiency [difíʃənsi]	명 부족, 결함	식량 부족	a ________ of food
36	**discover** [diskʌ́vər]	동 발견하다, 찾다	유전(석유가 나는 곳)을 발견하다	________ an oil field
	discovery [diskʌ́vəri]	명 발견	대단히 중대한 발견	a highly significant ________
37	**renew** [rinjú:]	동 다시 시작하다, 연장하다	도서관 책(의 대출 기간)을 연장하다	________ library books
	renewable [rinjú:əbl]	형 재생 가능한, 연장 가능한	재생 가능한 에너지 기술	________ energy technology
38	**industry** [índəstri]	명 산업, 제조업	산업 원자재	raw materials for ________
	industrialize [indʌ́striəlàiz]	동 산업화하다, 공업화하다	신흥 공업국	newly ________d countries

STEP 3

Review

A 예비 영단어 또는 우리말 뜻 쓰기

1. increase	______	9. 자원, 재원, 원천	______
2. barren	______	10. 발견하다, 찾다	______
3. marble	______	11. (전기·열 등의) 발생, 세대	______
4. exploit	______	12. 산업화하다, 공업화하다	______
5. shortage	______	13. 유용성, 공공시설; 다용도의	______
6. reduce	______	14. 기업의, 법인의, 공동의	______
7. transformation	______	15. 거래, 매매, 처리	______
8. convert	______	16. 비옥함, 생식력	______

B 기본 덩어리 표현 완성하기

1. 비경제적인 방법들	______ methods	9. 연구 개발	______ and development
2. 풍부한 매장량	______ reserves	10. 서로 협력하다	______ with each other
3. 면직물	cotton ______s	11. 광물을 추출하다	extract ______s
4. 방사성 물질을 탐지하다	detect ______ substances	12. 원자력을 발생시키다	______ nuclear power
5. 내구성을 시험하다	test the ______	13. 산업 원자재	raw materials for ______
6. 농업에 종사하다	work in ______	14. 비타민 D가 부족한	______ in vitamin D
7. 재생 가능한 에너지 기술	______ energy technology	15. 벼를 심고 수확하다	plant and ______ rice
8. 화석 연료를 태우다	burn ______ fuels	16. 두 부분으로 구성되다	______ of two parts

▶ 정답 p. 205

C 내신 기출 유형 밑줄 친 단어와 의미가 같은 표현 고르기

선택지 단어 뜻 쓰며 더블 체크!

1. Fuel shortage hikes black market prices.

① deficiency ② abundance ③ conversion ④ industry

2. Heavy snow forced drivers to abandon their vehicles.

① cease ② discard ③ consist ④ cultivate

3. The plant has become so scarce that the country forbids removing the palms.

① raw ② severe ③ rare ④ corporate

4. Investments in renewable technology will bring a substantial reduction in carbon emissions.

① convert ② exploitation ③ resource ④ decrease

D 수능 기출 유형 문맥상 알맞은 단어 고르기

1. (1) No child is too young to appreciate the [marbles / marvels] of nature.
(2) A [marble / marvel] statue of the Roman goddess was stolen from a garden.

2. (1) [Barren / Fertile] soil contains all the major nutrients for basic plant nutrition.
(2) Tundra is a region of the [barren / fertile] wilderness and means "treeless mountain tract."

3. (1) They find it difficult to [transform / transact] in the resources markets.
(2) She lectured on the principle of [transforming / transacting] wind into energy.

4. Nowadays most people depend on plastic straws and other single-use, [automatic / disposable] products.

5. The machine [cultivates / utilizes] power from the Sun during the daytime and the battery keeps it up until the morning.

DAY 30 기후/재해

STEP 1

Single Words

군더더기 없이 핵심에 집중

01 ★★★	**climate** [kláimit]	명 기후, 분위기	지구 기후 변화	global ______ change
			여론의 분위기	the ______ of opinion
02 ★★☆	**temperate** [témpərət]	형 온화한, 절제된	온대 다우 기후	a ______ rainy climate
			절제된 생활	a ______ life
03 ★★★	**forecast** [fɔ́ːrkæ̀st]	명 예측, 예보 동 예측하다, 예보하다	일기 예보	a weather ______
			미래를 예측하다	______ the future
04 ★★☆	**breeze** [briːz]	명 산들바람, 미풍 동 산들바람이 불다, 수월하게 해치우다	시원한 산들바람	a cool ______
			시험을 수월하게 통과하다	______ through the tests
05 ★★★	**tropical** [trɑ́pikəl]	형 열대 지방의, 열대의	열대야 현상	the ______ night phenomenon
			열대 과일을 재배하다	cultivate ______ fruits
06 ★★★	**rainforest** [réinfɔːrist]	명 열대 우림	열대 우림을 지키다	save the ______s
			TIP	rain(비)과 forest(숲)의 합성어로 '열대 우림'은 비가 많이 오는 적도 부근의 숲이 울창한 곳이라는 뜻.
07 ★★★	**float** [flout]	동 뜨다, 떠다니다, 띄우다 명 뜨는 물건, 부표, 구명대	배를 물에 띄우다	______ the ship on water
			구명 부표	a life ______
08 ★★★	**melt** [melt]	동 녹다, 녹이다, 누그러지다, 누그러뜨리다	빙산이 녹다	icebergs ______
			그의 마음을 누그러뜨리다	______ his heart
09 ★★☆	**sandstorm** [sǽndstɔ̀ːrm]	명 모래 폭풍	모래 폭풍이 오고 있다.	A ______ is coming.
			TIP	storm은 '폭풍(우)'라는 뜻.
10 ★★☆	**thunderstorm** [θʌ́ndərstɔ̀ːrm]	명 뇌우(천둥과 번개를 동반한 비)	심한 뇌우	a heavy ______
			나는 뇌우를 만났다.	I got caught in a ______.

공부한 날 1회 | 월 일 2회 | 월 일 3회 | 월 일

No.	단어	뜻	예문 (우리말)	예문 (영어)
11 ★☆☆	**tsunami** [tsunɑ́:mi]	명 해일, 쓰나미	해일이 집들을 휩쓸었다.	A ______ swept away homes.
			쓰나미 경보	a ______ warning
12 ★☆☆	**hailstone** [héilstòun]	명 (한 알의) 우박	야구공 크기만 한 우박	a baseball-sized ______
			거대한 우박이 떨어지다.	Huge ______s rain down.
13 ★★★	**famine** [fǽmin]	명 기근, 굶주림	물 기근	a water ______
			굶주림에 시달리다	suffer from a ______
14 ★★☆	**alert** [ələ́:rt]	형 경계하는, 기민한 동 경보를 발하다 명 경보, 경계 태세	경계를 게을리 하지 않다	stay ______
			화재 경보	a fire ______
15 ★★★	**damage** [dǽmidʒ]	명 손상, 피해 동 손상을 주다, 피해를 입히다	심각한 뇌우 피해	severe thunderstorm ______
			농작물에 피해를 입히다	______ the crops
16 ★★☆	**drown** [draun]	동 익사하다, 물에 빠져 죽다, 잠기게 하다	깊은 물에 익사하다	______ in deep water
			계곡이 물에 잠겼다.	The valleys were ______ed.
17 ★★☆	**fierce** [fiərs]	형 격렬한, 맹렬한, 사나운	격렬한 해일의 희생자	victims of a ______ tsunami
			맹견을 조심하라	beware of the ______ dog
18 ★☆☆	**dazzling** [dǽzliŋ]	형 눈부신, 휘황찬란한	눈부신 햇살	______ sunshine
19 ★★★	**strengthen** [stréŋkθən]	동 강화하다, 강화되다	다리를 강화하다	______ the bridge
			유대로 강화된	______ed by the bond
20 ★★★	**worsen** [wə́:rsn]	동 악화되다, 악화시키다	문제가 악화되었다.	The problem has ______ed.
			상황을 악화시키다	______ the situation

TIP 파생어 dazzle(눈부시게 하다, 현혹시키다), dazzler(눈에 띄는 사람(것), 화사한 여인)

STEP 2

Word Pairs

관련어 '쌍'으로 암기

비슷한 뜻 유의어

No.	Word	Meaning	Korean phrase	English phrase
21	**shade** [ʃeid]	명 그늘, 음영, 빛 가리개 동 그늘지게 하다, 어둡게 하다	그늘과 빛	______ and light
	shadow [ʃǽdou]	명 그림자 동 그늘을 드리우다, 미행하다	어두운 그림자를 드리우다	cast a dark ______

반대의 뜻 반의어

No.	Word	Meaning	Korean phrase	English phrase
22	**sufficient** [səfíʃənt]	형 충분한	충분한 비가 내리다	have ______ rain
	insufficient [ìnsəfíʃənt]	형 불충분한, 부족한	부족한 물의 양	an ______ quantity of water
23	**constant** [kánstənt]	형 끊임없는, 변함없는	끊임없는 날씨 변화	______ weather changes
	occasional [əkéiʒənəl]	형 가끔의, 때때로의, 임시의	때때로 내리는 비	______ rain
24	**drought** [draut]	명 가뭄, 고갈	극심한 가뭄을 겪다	experience extreme ______
	flood [flʌd]	명 홍수, 범람 동 물에 잠기다, 침수시키다	홍수 피해	______ damage

살짝 바꾼 파생어

No.	Word	Meaning	Korean phrase	English phrase
25	**erupt** [irʌ́pt]	동 분출하다, 폭발하다	그 화산은 폭발할 수도 있다.	The volcano may ______.
	eruption [irʌ́pʃən]	명 분출, 폭발	거대한 화산 분출	a major volcanic ______

TIP 어원 e(밖으로)+rupt(깨다)='밖으로 터져 나오다'라는 뜻.

No.	Word	Meaning	Korean phrase	English phrase
26	**predict** [pridíkt]	동 예측하다, 전망하다	지진을 예측하다	______ earthquakes
	prediction [pridíkʃən]	명 예측, 예견, 예보	실시간 예보	a real-time ______
27	**erode** [iróud]	동 침식시키다, 약화시키다	바람에 의해 침식된	______d by the wind
	erosion [iróuʒən]	명 침식, 부식	표면 침식	surface ______
28	**dense** [dens]	형 밀집한, 짙은, 난해한	짙은 안개	a ______ fog
	density [dénsəti]	명 밀도, 농도	밀도를 계산하다	calculate ______
29	**humid** [hjúːmid]	형 습한, 눅눅한	습한 열대 기후	a ______ tropical climate
	humidity [hjuːmídəti]	명 습도, 습기	습도를 재다	measure the ______

발음+짤강

No.	Word	Meaning	Phrase (Korean)	Phrase (English)
30	**intense** [inténs]	형 극심한, 강렬한, 격렬한	극심한 추위를 견디다	endure the ________ cold
	intensity [inténsəti]	명 강렬함, 강도	비가 내리는 강도	the ________ of rainfall
31	**turbulent** [tə́ːrbjulənt]	형 사나운, 난기류의, 격변의	사나운 파도	________ waves
	turbulence [tə́ːrbjuləns]	명 사나움, 난기류, 격변	심한 난기류	severe ________
32	**disaster** [dizǽstər]	명 참사, 재난, 재해	자연 재해를 막다	prevent natural ________s
	disastrous [dizǽstrəs]	형 처참한, 피해가 막심한	처참한 폭발	a ________ eruption
33	**hazard** [hǽzərd]	명 위험, 위험 요소 동 위험을 무릅쓰다	침식 위험 지역	an erosion ________ zone
	hazardous [hǽzərdəs]	형 위험한	위험한 해일 파도	________ tsunami waves
34	**glacier** [gléiʃər]	명 빙하	빙하 호수	a ________ lake
	glacial [gléiʃəl]	형 빙하(기)의, 몹시 추운, 냉담한	빙하기	a ________ period
35	**tide** [taid]	명 조수, 밀물과 썰물, 조류	바람과 조수	the wind and ________
	tidal [táidl]	형 조수의, 주기적인	조력 발전	________ power generation
36	**freeze** [friːz]	동 얼(리)다, 얼어붙다, 동결하다 명 결빙, 동결, 한파	그 연못은 결코 얼지 않는다.	The pond never ________s over.
	freezing [fríːziŋ]	형 어는, 몹시 추운, 냉담한	어는 지점(빙점)	the ________ point
37	**frost** [frɔːst]	명 서리, 결빙 동 서리가 내리다, 서리로 덮다	서리로 뒤덮인 나무들	trees covered with ________
	frosted [frɔ́ːstid]	형 서리로 덮인, 급속 냉동한	냉동 식품	________ foods
38	**origin** [ɔ́ːrədʒin]	명 기원, 원천, 태생	종의 기원	the ________ of species
	originate [ərídʒənèit]	동 생기다, 유래하다, 일으키다	식물로부터 유래하다	________ from plants

TIP turb/troub는 '어지럽히다'라는 뜻. e.g. dis**turb**(방해하다), **troub**le(곤란, 괴롭히다)

STEP 3

Review

A 예비 영단어 또는 우리말 뜻 쓰기

1. forecast	________	9. 기근, 굶주림	________
2. float	________	10. 조수의, 주기적인	________
3. fierce	________	11. 서리; 서리가 내리다	________
4. glacial	________	12. 경계하는; 경보를 발하다	________
5. drought	________	13. 눈부신, 휘황찬란한	________
6. disastrous	________	14. 습한, 눅눅한	________
7. turbulence	________	15. 밀도, 농도	________
8. hazard	________	16. 생기다, 유래하다	________

B 기본 덩어리 표현 완성하기

1. 표면 침식	surface ________	9. 빙하 호수	a ________ lake
2. 온대 다우 기후	a ________ rainy climate	10. 열대야 현상	the ________ night phenomenon
3. 야구공 크기만 한 우박	a baseball-sized ________	11. 어두운 그림자를 드리우다	cast a dark ________
4. 빙산이 녹다	icebergs ________	12. 부족한 물의 양	an ________ quantity of water
5. 다리를 강화하다	________ the bridge	13. 비가 내리는 강도	the ________ of rainfall
6. 열대 우림을 지키다	save the ________s	14. 시험을 수월하게 통과하다	________ through the tests
7. 위험한 해일 파도	________ tsunami waves	15. 종의 기원	the ________ of species
8. 여론의 분위기	the ________ of opinion	16. 홍수 피해	________ damage

▶ 정답 p. 205

C 내신 기출 유형 밑줄 친 단어와 의미가 같은 표현 고르기

선택지 단어 뜻 쓰며 더블 체크!

1. A fierce thunderstorm caused massive flooding.
   ① A sufficient ② A tidal ③ An intense ④ A dense

2. The disastrous tsunami caused extensive damage in the town.
   ① loss ② shade ③ famine ④ erosion

3. She gave him a glacial stare as he started to reveal her secret to the group.
   ① temperate ② frosted ③ dazzling ④ freezing

4. A strong sandstorm has been forecasted to occur in the western part of the desert.
   ① predicted ② breezed ③ worsened ④ strengthened

D 수능 기출 유형 문맥상 알맞은 단어 고르기

1. (1) After heavy rain, his crops have [drowned / floated] in the soaked fields.
   (2) In the storage tank, the waste sinks to the bottom and the oil [drowns / floats] to the top.

2. (1) High heat and [density / humidity] will continue through this weekend.
   (2) The graph shows the population [density / humidity] of Greenland from 1790 to 2017.

3. (1) Rising oil prices affect the entire economy and threaten to [erode / erupt] profit.
   (2) When Mt. Vesuvius [eroded / erupted] and completely buried the city of Pompeii, hundreds of people died.

4. Some devices contain environmentally [hazardous / turbulent] materials.

5. He suffered from [constant / occasional] natural disasters such as thunderstorms and droughts two years in a row.

VOCA 다품을 모두 끝낸 너를 칭찬해!

TWO THUMBS UP!

자, 한 권을 끝낸 소감을 쓰며 스스로를 돌아 봐. 어떤 방법이 가장 효과적이었어?

어려운 점은 뭐였어? 다음엔 어떻게 할까? 그리고 너를 향한 칭찬 한마디도 꼭!

VOCA 다품

고교 필수 영단어

Answers

Answers

Day 1 일상생활 pp. 12－13

A 1. 갑작스러운　2. 얼룩; 더럽히다
3. 일상, 일과, 판에 박힌 일; 일상적인
4. 보기 드문, 흔치 않은　5. 주민, 거주민; 거주하는
6. 갑작스러운, 퉁명스러운　7. 발생, 출현, 일
8. 진공청소기로 청소하다; 진공
9. cherish　10. encounter　11. tame
12. spouse　13. arrange　14. proceed
15. suburb　16. household

B 1. secure　2. accomplish　3. necessity
4. privacy　5. abnormal　6. laundry
7. anniversary　8. casual　9. appreciate
10. lay　11. routine　12. arrangement
13. personality　14. chore　15. familiar
16. uncomfortable

C 1. ② / ① 길들이다, 다스리다 ② …에 거주하다, …에 살다 ③ …에서 일어나다, …에서 발생하다 ④ 보호하다, 지키다, 획득하다
2. ④ / ① 평범한, 보통의, 정상적인 ② 보통의, 평범한 ③ 익숙한, 친숙한, 정통한 ④ 불가피한, 피할 수 없는
3. ③ / ① 사적인, 사유의 ② 평상시의, 우연한, 가벼운 ③ 흔한, 일반적인, 공통의 ④ 개인의, 자신의
4. ② / ① 기회 ② 감사, 고마움 ③ 성취, 업적 ④ 절차, 방법

D 1. (1) sow (2) sewn　2. (1) lie (2) lay
3. mess　4. extraordinary　5. urban

해석

C 1. 동물들만 그 섬에 서식한다.
2. 필요한 때에만 인쇄해 주세요.
3. 일반적인 의견은 그 회의가 지루했다는 것이다.
4. 그들은 시간과 노력에 대한 감사의 뜻으로 작은 선물을 받았다.

D 1. (1) 여러분은 씨를 뿌리고, 흙에 물을 주고, 여러분의 식물이 토마토나 꽃으로 자라는 것을 본다.
(2) 내 어머니는 할머니가 손으로 꿰매주신 인형을 갖고 놀며 자라셨다.
2. (1) 때때로 야망은 우리가 거짓말하고 다른 사람들을 다치게 한다.
(2) 가을은 우리가 잠시 걱정을 내려놓고 어려운 시기를 충분히 대비하게 하는 완벽한 지점에 있다.
3. 가장 큰 문제는 애초에 그들이 어쩌다 이런 곤란에 빠졌느냐는 것이다.
4. 목표를 성취하기 위해 우리는 우리 팀에 합류할 경쟁력 있고 비범한 사람들이 필요하다.
5. 도시 설계자로도 알려진 도시 계획가들은 어느 특정 지역이 도시로 개발될 수 있도록 점검한다.

Day 2 학교생활 pp. 18－19

A 1. 속이다, 부정행위를 하다; 속임수, 사기
2. 2학년생　3. 돕다, 조력하다
4. 결석한, 부재의; 결석하다
5. 도움, 지원, 보조물; 돕다, 촉진하다
6. 청소년　7. 지시하다, 가르치다
8. 출석하다, 참석하다, 돌보다
9. challenge　10. graduation　11. enrollment
12. attempt　13. remind　14. assignment
15. intermediate　16. presentation

B 1. intellectual　2. incorrect　3. purpose
4. concentrate　5. primary　6. dictation
7. assistant　8. enroll　9. evaluation
10. pupil　11. assign　12. comprehend
13. absence　14. bully　15. lecture
16. scholarship

C 1. ④ / ① 이해했다, 내포했다 ② 보완했다 ③ 완료했다, 마쳤다 ④ 칭찬했다
2. ③ / ① 집중, 전념 ② 평가, 분석 ③ 지시, 가르침, 설명서 ④ 발표, 제출
3. ③ / ① 엄격한, 엄밀한 ② 맞는, 정확한 ③ 지능의, 지적인 ④ 현재의, 있는
4. ② / ① 강의, 강연 ② 보조금 ③ 규율, 훈련, 수업 ④ 시도

D 1. (1) even (2) odd
2. (1) complement (2) compliment
3. attend　4. incorrect　5. former, latter

해석

C 1. 그들은 그 작품이 대단히 독창적이라고 칭찬했다.
2. 활동들은 모두 경험 있는 강사의 지도하에 진행된다.
3. 교육은 한 사람의 학문적인 성장과 사회적 발전의 기반이다.
4. 그 위원회는 대학교에 등록한 몇몇 신입생을 위해 장학금을 제공한다.

D 1. (1) 2, 4, 6, 그리고 8은 모두 짝수이다.
(2) 이상하지만 나는 당신을 아주 오랜 시간 알아온 것처럼 느낀다.

2. (1) 곁들임 요리는 주요리를 완벽하게 보완한다.
(2) 예상치 않은 칭찬을 하는 것은 때때로 여러분의 친구들을 정말 행복하게 만들 수 있다.
3. 그는 장례식에 참석하기 위해 완전히 검은 옷으로 입어야 했다.
4. 학생들은 학교에서 문법을 배움에도 때때로 친구들과 잘못된 문법을 사용한다.
5. 그들은 말과 소를 기르는데 전자는 탈것, 후자는 식용이다.

Day 3 | 사회생활 pp. 24-25

A 1. 환대, 대접, 접대 2. 기여하다, 공헌하다, 기부하다
3. 동행하다, 동반하다, 반주하다 4. 지원자, 신청자
5. 협상하다, 성사시키다 6. 특별한, 특수한
7. (굳은) 약속, 맹세, 서약; 약속하다, 맹세하다
8. 모집하다, 뽑다; 신입 사원
9. fame 10. colleague 11. successive
12. collaborate 13. professional 14. suppose
15. acquaintance 16. failure

B 1. chief 2. applicant 3. demonstrate
4. competition 5. shift 6. complaint
7. informal 8. certificate 9. socialize
10. success 11. opinion 12. mission
13. collaboration 14. sociable 15. application
16. specialize

C 1. ① / ① 경력, 직업, 진로 ② 임무, 사명 ③ 의견, 생각, 여론 ④ 협상, 협의
2. ② / ① 명성 ② 결과, 결실 ③ (전문적) 직업, 직종 ④ 초대(장), 초청
3. ② / ① 불평했다, 호소했다 ② 헌신했다, 바쳤다 ③ 생각했다, 추측했다, 가정했다 ④ 경쟁했다, 겨뤘다
4. ③ / ① 채택하다, 취하다, 입양하다 ② 정하다, 임명하다 ③ 적응하다, 조정하다 ④ 신청하다, 지원하다, 적용하다

D 1. (1) adapt (2) adopted 2. (1) successful (2) successive
3. incredible 4. improper 5. appointment

C 1. 그는 변호사를 직업으로 삼으려고 했다.
2. 우리의 성장은 좋은 서비스를 제공하겠다는 우리 열정의 당연한 결과이다.
3. 그녀는 침팬지를 연구하고 환경을 보호하는 데 자신의 일생을 바쳐 왔다.
4. 최근 소개된 자동차는 속도 표지판을 읽고 안전을 위해 운전 속도를 조정할 수 있다.

D 1. (1) 큰 집단은 변화에 적응하는 것이 느릴 수 있다.
(2) 그 아기는 한 가정에 입양되었다.
2. (1) 그녀는 그 프로젝트의 성공적인 완수에 대해 Jack을 칭찬했다.
(2) 그는 자신이 네 번의 올림픽 게임에서 3회 연속 금메달을 획득할 수 있기를 희망한다.
3. 나는 집에 가는 길에 놀라운 기회로 그를 만났다.
4. 그들은 통제 불능이었고 몇몇 부적절한 행동에 연루되었다.
5. 사람들은 약속이 있을 때, 보통 제시간에 도착한다.

Day 4 | 성격/태도 pp. 30-31

A 1. 어색한, 곤란한, 불편한 2. 열성적인, 열심인
3. 신뢰, 신용, 의존 4. 고의로, 일부러, 신중하게
5. 잔인한, 잔혹한 6. 무관심, 냉담
7. 예의 바른, 정중한 8. 성향, 기질, 경향
9. arrogant 10. thoughtful 11. ridiculous
12. subtle 13. indifferent 14. feminine
15. frank 16. attention

B 1. endurance 2. mischief 3. careless
4. aggressive 5. persuasive 6. resistance
7. impolite 8. timid 9. harsh
10. cruelty 11. discourage 12. opposite
13. patient 14. tend 15. vanity
16. generosity

C 1. ③ / ① 한결같은, 일관된, 일치하는 ② 자포자기한, 절망적인, 필사적인 ③ 성실한, 진실한, 진짜의 ④ 관대한, 너그러운
2. ② / ① 경향이 있다, 돌보다 ② 반대하다, 겨루다 ③ 설득하다 ④ 견디다, 참다
3. ② / ① 막다, 낙담시키다 ② 놀리다, 괴롭히다, 귀찮게 조르다 ③ 심사숙고하다 ④ 격려하다, 장려하다
4. ③ / ① 오만한, 거만한 ② 미묘한, 예민한, 섬세한 ③ 겸손한, 초라한, 소박한 ④ 공격적인, 적극적인

D 1. (1) bald (2) bold 2. (1) zealous (2) jealous
3. impatient 4. ridiculous 5. eager

C 1. 진심 어린 칭찬만이 사람을 기분 좋게 만들 수 있다.
2. 그들은 그 법률을 개정하라는 압력에 반대할 작정이다.
3. 여러분의 애완견이나 고양이가 먹고 있거나 자고 있을 때 귀찮게 하지 마라.

4. 겸손한 사람들은 자신의 분야에서 최고의 자리에 올랐을 때 조차도 거만하게 굴지 않는다.

D 1. (1) 그는 30대에 대머리가 되기 시작했다.
(2) 그녀의 대담한 화법은 대중의 관심을 받았다.

2. (1) 그들은 자선 단체의 열성적인 활동가들이다.
(2) 아름다운 바다 요정 Galatea(갈라테이아)는 질투에 눈이 먼 외눈박이 거인 Polyphemus(폴리페모스)가 그녀의 연인 Acis(아키스)를 죽인 후에 달아난다.

3. 한 조사에 따르면, 패스트푸드 문화는 사람들을 참을성 없고 경솔하게 만든다.

4. 그런 터무니없는 사고가 다시 발생하지 않게 하려면 어떻게 해야 하는가?

5. 그들은 배우기를 무척 열망해서 학교에 가기 위해 안 좋은 날씨에도 강을 건넌다.

Day 5 | 감정/생각 pp. 36–37

A 1. 감사하는, 고맙게 생각하는
2. 분별 있는, 현명한 3. 연민, 동정심
4. 우울한, 의기소침한, 불경기의, 침체된
5. 못된, 고약한, 더러운, 불쾌한 6. 부끄러운, 창피한, 수치스러운
7. 좌절한, 낙담한 8. 공감, 감정 이입
9. frown 10. hatred 11. reflect
12. miserable 13. weird 14. tolerance
15. envious 16. fascinating

B 1. anxiety 2. fascinate 3. reflection
4. optimistic 5. frightened 6. suffer
7. assumption 8. expressive 9. naive
10. offend 11. regret 12. nasty
13. embarrassment 14. humiliating
15. extremely 16. fury

C 1. ② / ① 참다, 견디다 ② 굴욕감을 주다, 창피를 주다 ③ 가정하다, 떠맡다, (어떠한 태도를) 취하다 ④ (감정·의견 등을) 표현하다, 말하다
2. ① / ① 짜증나게 했다, 거슬렸다 ② …에 대해 절망했다, …을 단념했다, …을 체념했다 ③ 매료시켰다, 사로잡았다 ④ 매우 기뻐했다, 즐겼다
3. ④ / ① 화나게 하다 ② 시달리다, 고통 받다, (불쾌한 일을) 겪다, 당하다 ③ 눈살을 찌푸리다 ④ 깜짝 놀라게 하다, 소스라치다
4. ③ / ① 순진한, 무죄인 ② 유감인, 후회하는 ③ 꺼리는, 마지못해 하는 ④ 분개하는, 억울해 하는

D 1. (1) sensitive (2) sensible
2. (1) ashamed (2) astonished
3. willing 4. delight 5. anxious

C 1. 나는 거기에서 당신을 난처하게 하려던 것이 아니었다.
2. 그는 자신의 무례함으로 모두를 기분 상하게 했다.
3. 현대 미술의 몇몇 위대한 거장들은 그들의 특별한 재능을 뽐내며 전 세계를 깜짝 놀라게 한다.
4. 몇몇 사람들은 건강 검진하러 병원에 가는 것을 꺼리는데, 그것이 시간 낭비이고 많은 비용이 든다고 생각하기 때문이다.

D 1. (1) 그녀는 다른 사람들의 기분에 매우 세심하다.
(2) 시간을 현명하게 사용하는 것은 인생을 위한 분별 있는 행동이다.
2. (1) 묻기를 두려워하는 사람은 배우기를 부끄러워한다.
(2) 아이들은 무지개를 처음 보았을 때 깜짝 놀랐다.
3. 나는 당신을 위해 기꺼이 무엇이든 한다.
4. 그녀는 그 경기를 수월하게 이겨 자신의 모든 팬들에게 기쁨을 주었다.
5. 한 보고서는 사람들은 주위에 담배 연기가 있을 때 더 우울하고 불안해한다고 밝혔다.

Day 6 | 능력 pp. 42–43

A 1. 천재(성), 비범한 재능 2. 기대, 예상, 예측
3. 극복하다, 이겨내다 4. 받을 만하다, 누릴 자격이 있다
5. 인정하다, 알아보다, 승인하다 6. 자신 있는, 확신하는
7. (…보다 더) 열등한, 하급의 8. 웅장한, 멋진, 훌륭한
9. thorough 10. spontaneously 11. dare
12. triumph 13. recall 14. confidential
15. expire 16. qualify

B 1. obstacle 2. expertise 3. advanced
4. potential 5. limit 6. aptitude
7. genius 8. acknowledgement
9. aware 10. strategy 11. expiration
12. capacity 13. fulfill 14. defeat
15. deserve 16. fundamental

C 1. ② / ① 달성할 수 있는 ② 유능한, 적격인 ③ 잠재적인, 가능성이 있는 ④ 책임이 있는, 설명할 수 있는
2. ① / ① 뛰어난, 우수한, 훌륭한 ② 책임(감)이 있는 ③ 충분한, 적당한, 알맞은 ④ 기초적인, 필수적인, 근본적인
3. ③ / ① 목표로 하다, 겨냥하다 ② 인정하다, 감사를 표하다 ③ 달성하다, 얻다, 이르다 ④ 보장하다, 장담하다, 확인하다
4. ④ / ① 습득, 획득, 인수 ② 계획들, 전략들 ③ 제한들, 한계들 ④ 능력, 수용력, 용량

D 1. (1) defeat (2) defect
2. (1) confidential (2) confident
3. incompetent 4. superior 5. awareness

C 1. 지도자는 유능하고 단호하며 선견지명이 있어야 한다.
2. 그것은 장엄한 요새로 문화와 역사적으로 뛰어난 가치가 있다.
3. 성공한 사람들은 자신이 원하는 것이 무엇인지 그리고 목표를 달성하기 위해 어떻게 계획을 세워야 하는지 안다.
4. 몇몇 사람들은 능력이 부족하기 때문에 일을 하기 어렵다고 생각한다.

D 1. (1) 그 당은 선거에서 패배에 직면해 있다.
(2) 선천적인 결함이 있는 동물들은 대개 며칠만 산다.
2. (1) 환자의 기록은 엄격한 기밀이다.
(2) 교사는 아이들이 이해하지 못할 때 질문하는 것에 자신감을 갖기를 원한다.
3. 그 대통령은 지도력이 부족하다는 공격을 받았다.
4. 독수리는 '새의 왕'으로 알려져 있는데 강력한 몸, 예리한 시력, 그리고 우수한 사냥 기술을 가지고 있기 때문이다.
5. 사람들은 오존 문제에 대한 대중의 인식을 불러오기 위해 '세계 오존의 날'을 9월 16일로 승인한다.

Day 7 | 동작 pp. 48–49

A 1. 특징, 특색, 이목구비, 얼굴
2. 흘끗 보다, 대충 훑어보다; 흘끗 보기
3. 고집, 집요함, 지속
4. 잠깐 보다, 언뜻 보다; 잠깐 봄, 언뜻 보기
5. 수확하다, 거두다
6. 경고, 주의, 조심; 경고를 주다, 충고하다
7. (움직임이) 빠른, 신속한
8. 가냘픈, 호리호리한, 약간의; 냉대하다, 무시하다
9. simultaneously 10. whisper 11. ceaseless
12. vigorous 13. yearn 14. leap
15. shed 16. unstable

B 1. scrub 2. bind 3. bit
4. yell 5. applause 6. sneeze
7. tear 8. disappear 9. eliminate
10. distortion 11. snore 12. hesitation
13. kneel 14. escape 15. slip
16. drag

C 1. ③ / ① 비틀었다, 왜곡했다 ② 중지했다, 그만두었다 ③ 빤히 쳐다보았다, 응시했다, 노려보았다 ④ 나타났다, 출연했다, …인 것 같았다
2. ③ / ① 안정된, 착실한 ② 조심스러운, 신중한 ③ 분명한, 뚜렷한 ④ 끊임없는, 부단한
3. ② / ① 흐느낌, 흐느껴 움 ② (몸을) 떰, 떨림 ③ 박수침, 칭찬함 ④ 울음, 눈물을 흘림
4. ② / ① 고집하다, 계속하다 ② 기다, 기어가다, 굽실거리다, 환심을 사다 ③ 망설이다, 주저하다 ④ 무릎을 꿇다

D 1. (1) leap (2) reap 2. (1) bit (2) beat
3. (1) slight (2) swift 4. rises
5. yawning

C 1. 그는 고함을 지르지 않고 그저 말없이 나를 노려보았다.
2. 운동이 건강을 촉진시킨다는 것은 꽤 명백하다.
3. 사실 떠는 것은 온기를 지키기 위한 몸의 마지막 행동이다.
4. 나는 영화 '나 홀로 집에'에서 털이 많은 타란툴라가 도둑의 얼굴 위를 기어가는 장면을 기억한다.

D 1. (1) 뛰기 전에 잘 살펴라(돌다리도 두드려 보고 건너라).
(2) 그들은 모두 열심히 일한 수익을 거둘 것이다.
2. (1) 그것은 내가 쓰고 싶었던 것보다 약간 더 비싸다.
(2) 그녀는 침대보를 두드려 먼지를 털려고 했다.
3. (1) 경찰은 그 형제가 Paul과 조금 아는 사이라고 밝혔다.
(2) 구입의 편의와 신속한 배달로 온라인 쇼핑은 사람들이 시간과 돈을 절약하는 데 도움을 주어 왔다.
4. 몇몇 사람들은 일찍 자고 해가 뜨기 전에 일어나는 것을 선호한다.
5. 한 새로운 과학 보고서는 웃음과 찡그림이 하품과 같이 전염성이 있다는 것을 보여 주었다.

Day 8 | 심리 pp. 54–55

A 1. (교묘하게) 조종하다, 다루다, 조작하다
2. 경향이 있다, 기울다, 경사지다
3. (느낌·태도 등을) 불러일으키다, (잠에서) 깨우다
4. 굉장한, 훌륭한, 무서운 5. 충동, 충격, 자극
6. 돌아다니다, 배회하다 7. 적대적인, 적군의
8. 명상하다, 숙고하다, 계획하다
9. illusion 10. intuition 11. meditation
12. conscious 13. overwhelming
14. tempt 15. relieve 16. compulsory

B 1. undergo 2. inclination 3. phobia
4. confuse 5. dread 6. relief
7. psychology 8. ideal 9. pursuit
10. intent 11. motivate 12. consult
13. mental 14. uneasy 15. concerned
16. complex

C 1. ③ / ① 공포증, 혐오증 ② 적개심, 적의, 반감 ③ 부담, 짐 ④ 환상, 환각, 오해, 착각
2. ① / ① 무서운, 끔찍한 ② 강제적인, 의무적인, 필수의 ③ 성숙한, 어른스러운, 숙성한, 잘 익은 ④ 의식하는, 자각하는, 의도적인
3. ④ / ① 위로, 위안, 안락, 편안 ② 콤플렉스들, 강박 관념들 ③ 관심, 염려, 관계 ④ 상태들, 상황들, 조건들

4. ④ / ① 추구했다, 계속했다, 뒤쫓았다 ② 상담했다, 상의했다 ③ 압도했다, 휩쌌다, 제압했다 ④ 무시했다, 못 본 체했다

D 1. (1) intended (2) inclined

2. (1) Meditation (2) temptation

3. (1) wandered (2) wondered

4. Dissatisfaction 5. intuition

C 1. 여러분은 역경으로부터 중요한 교훈을 배울 수 있다.

2. 사람들은 인터넷의 익명성 뒤에 숨어서 끔찍한 일들을 할 수 있다.

3. 우리 두뇌는 감정이 고조된 상태라는 점에서 스트레스와 기쁨을 비슷하게 다룬다.

4. 인문학은 모든 학문의 기초임에도 불구하고, 많은 지식인들과 학자들에게 소홀히 여겨져 왔다.

D 1. (1) 우리는 계획했던 것보다 더 늦게 끝났다.

(2) 나는 음식을 다루고 준비할 때 매우 신중을 기하는 경향이 있다.

2. (1) 명상은 마음을 진정시키고 세상에 대한 인식을 더 잘 쌓게 한다.

(2) 영화에서, 그 등장인물은 반지의 유혹에 저항하려고 애쓰는 데 많은 시간을 할애한다.

3. (1) 나는 비가 내리기 시작할 때까지 돌아다닌 뒤, 지하철을 타고 집으로 돌아 왔다.

(2) 여러분은 어느 화가의 작품이 역대 가장 비싼 것이었는지 궁금해 한 적이 있는가?

4. 외모에 대한 불만족은 섭식 문제와 우울증 같은 정신 상태를 초래하는 건강하지 못한 자아상을 만든다.

5. 감각을 사용하는 사람들은 현실, 사실, 그리고 세부 사항에 집중하는 반면, 직관을 사용하는 사람들은 상상력과 패턴에 더 의존한다.

Day 9 대인 관계 pp. 60–61

A 1. 유대, 결속, 채권

2. 뗄 수 없는, 분리할 수 없는, 불가분의

3. 참여시키다, 연루시키다, 포함하다, 필요로 하다

4. 대하다, 다루다, 치료하다 5. 공손한, 정중한

6. 무지, 무식 7. 상대적으로, 비교적

8. 사려 깊은, 배려하는

9. deceit 10. interfere 11. conceal

12. insult 13. attribution 14. intimate

15. obey 16. solidity

B 1. accept 2. pretend 3. ensure

4. independent 5. prejudice 6. isolation

7. favorable 8. decency 9. argument

10. distract 11. loyal 12. selfish

13. ignorant 14. companion 15. soothe

16. respect

C 1. ② / ① 모욕하다, 창피를 주다 ② 분리하다, 격리하다, 고립시키다 ③ 방해하다, 간섭하다 ④ 보험에 들다

2. ④ / ① 사과, 양해를 구하는 말 ② 친밀, 친교, 절친함 ③ 대우, 처우, 치료 ④ 공손함, 예의, 호의

3. ① / ① 예의 바른, 점잖은, 괜찮은 ② 상대적인, 비교적인, 관련된 ③ 의존하는, 의지하는 ④ 왕실의, 왕의

4. ② / ① 고려하다, 여기다, 생각하다 ② 포함하다, 포함시키다 ③ 추천하다, 권하다 ④ 지지하다, 옹호하다, 부양하다

D 1. (1) considerable (2) considerate

2. (1) opponent (2) companion

3. (1) arguing (2) attributed 4. solidity

5. exclude

C 1. 신념을 감정과 분리하는 것은 불가능하다.

2. 공공 예절은 표현의 자유만큼 중요하다.

3. 나는 내 목표를 성취하고 미래에 훌륭한 업적을 달성하기 위해 노력할 것이다.

4. 얼음낚시는 호수나 연못의 얼음에 구멍을 내고, 물속으로 미끼를 떨어뜨리고, 물고기가 그것을 낚아채기를 기다리는 것을 포함한다.

D 1. (1) 좋은 관계를 만드는 것은 상당한 시간을 필요로 한다.

(2) 모든 사람은 친절하고, 예의 바르며, 사려 깊은 사람을 존경한다.

2. (1) 상대편을 이기는 선수가 승자가 될 것이다.

(2) 많은 사람들은 이제 자신의 동물을 '애완동물' 대신 '반려동물'이라고 부른다.

3. (1) 그들은 누가 창문 옆에 앉을지에 관해 다투고 있었다.

(2) 이런 이상 기후 상태는 건조하고 뜨거운 바람의 유입 탓이다.

4. 그녀의 음악에는 놀라운 깊이와 견고함이 있다.

5. 어떠한 음식도 완전히 나쁘다고 여겨져서는 안되고, 여러분의 식단에서 지방을 완전히 제외하려고 하는 것은 잘못된 것이다.

Day 10 통신/의사소통 pp. 66–67

A 1. 일치하다, 교신하다, 서신을 주고받다

2. 부인하다, 부정하다, 거부하다

3. 자제하다, 삼가다 4. 계약(서); 계약하다
5. 거부하다, 반대하다; 거부권 6. 반대하다; 물건, 물체, 목적
7. 정지된, 고정된 8. 방해, 중단, 중지
9. utterance 10. stationery 11. consequence
12. mention 13. indication 14. transmission
15. satellite 16. regard

B 1. mobile 2. function 3. access
4. clash 5. transmit 6. impact
7. utter 8. nonsense 9. response
10. approve 11. conference 12. interactive
13. propose 14. portable 15. debate
16. address

C 1. ① / ① 접근(권), 접속 ② 주소, 연설 ③ 연락, 의사소통, 통신 ④ 제안, 청혼
2. ② / ① 방해하다, 중단시키다 ② 거부하다, 거절하다 ③ 토론하다, 논쟁하다 ④ 비난하다, …의 탓으로 돌리다
3. ④ / ① 쌍방향의, 상호적인, 대화식의 ② 조심스러운, 세심한 ③ 유익한, 정보를 제공하는 ④ 매력적인, 흥미로운, 호소하는
4. ② / ① 거절하다, 거부하다 ② 전송하다, 전달하다, 전염시키다 ③ 붙이다, 첨부하다, 소속시키다 ④ (제대로) 기능하다, 작용하다

D 1. (1) Attach (2) detach
2. (1) interruption (2) interaction
3. (1) stationary (2) stationery
4. contact 5. Refrain

C 1. 그 궁전으로 가는 진입로에 군인들이 경비를 서고 있었다.
2. 대통령은 법안을 제안하고 거부할 자격이 있다.
3. 저희는 여러분에게 야심찬 목표를 성취하도록 돕고 매력적인 직업 선택을 제공할 수 있습니다.
4. 학생들은 많은 다양한 상황에서 자신의 의견을 전달하는 방법을 알 필요가 있다.

D 1. (1) 여러분의 이메일 메시지에 파일들을 첨부하고 그것들을 클라우드에 전송하라.
(2) 나는 이 끔찍한 사건들의 현실에서 벗어나고 싶었다.
2. (1) 서비스 중단은 우리 고객들에게 주요한 애로사항이었다.
(2) 온라인 쇼핑은 편리하지만, 사람과의 상호 작용을 단절시킨다.
3. (1) 이 새 제품은 고정식과 이동식 사용 모두를 위해 고안되었다.
(2) 유명한 웹툰의 몇몇 캐릭터는 종종 문구류와 같은 상품을 만드는 데 사용된다.
4. 그 질병은 가벼운 접촉으로 전염된다.
5. 여러분의 신용카드 번호와 같은 정보를 문자로 보내는 것을 삼가라.

Day 11 | 대중 매체 pp. 72–73

A 1. 큰 슬픔, 비탄 2. 완화하다, 감소하다, 줄이다
3. 광범위한, 폭넓은, 대규모의 4. 저널리스트, 기자
5. 대리점, 대행사, 단체 6. 사건, 일, 문제
7. 영향, 결과, 효과 8. 오로지, 단독으로
9. headline 10. emphasis 11. broadcast
12. editorial 13. compelling 14. subscribe
15. notification 16. union

B 1. press 2. article 3. affair
4. viewer 5. signal 6. issue
7. illustration 8. agent 9. column
10. influential 11. slogan 12. medium
13. critical 14. emphasis 15. commerce
16. spread

D 1. ④ / ① 강조하다, 역설하다 ② 누르다, 압력을 가하다 ③ 발행하다, 발부하다 ④ 영향을 미치다
2. ③ / ① 고의로, 일부러, 신중하게 ② 상대적으로, 비교적 ③ 독점적으로, 오로지 ④ 동시에, 일제히
3. ① / ① 신장시키다, 북돋다 ② 전달하다, 전하다, 나르다 ③ 새다, (비밀 등을) 누설하다 ④ 줄이다, 줄어들다, 약해지다
4. ② / ① 구독(료), 기부금 ② 통지, 알림, 신고 ③ 삽화, 실례 ④ 집중, 전념

D 1. (1) criticize (2) Subscribe 2. (1) brief (2) grief
3. (1) crucial (2) commercial 4. advertise
5. compelling

C 1. 그녀의 부모님은 그녀의 결정에 영향을 주려고 시도했다.
2. 그 시는 2010년부터 매년 오로지 어린이들만을 위한 축제를 열어 왔다.
3. 미술 강의나 요가 강의, 혹은 여러분의 창의력을 향상시키기 위한 무언가를 추가하는 것을 고려하라.
4. 그 정보는 회사가 계획의 세부 사항이 담긴 발표를 할 때까지 기밀이다.

D 1. (1) 그 화가는 내게 자신의 그림들을 비평해 달라고 부탁했다.
(2) 저희 잡지를 구독하시면 일 년에 12권을 받으실 겁니다.
2. (1) 간략한 뉴스는 뉴스의 대상이 누구이고 주제가 무엇인지를 포함해야 한다.
(2) 그녀의 슬픔은 너무 엄청났고 그는 그녀를 어떻게 위로해야 하는지 알지 못했다.
3. (1) 그 기사는 그녀가 절도범을 찾는 데 중요한 일을 했다고 밝혔다.
(2) 상업적인 성공에도 불구하고, 그 영화의 비평은 엇갈렸다.

4. 우리는 새 매니저를 구하기 위해 광고할 때, 모든 지원자에게 매니저의 업무에 관해 명확히 한다.
5. 그 프로그램에는 시청자들에게 그 이론을 믿게 할 가장 설득력 있는 한 가지 이유가 없었다.

Day 12 | 예술 pp. 78-79

A 1. 구체적인, 확실한; 콘크리트
2. 진품의, 진짜의, 진정한 3. 각각의, 각자의
4. 조각하다, 새기다 5. 조각의, 조각 같은
6. 부서지기 쉬움, 허약 7. 존경, 감탄
8. 걸작, 명작
9. handicraft 10. signature 11. simplify
12. composer 13. inspire 14. monotonous
15. display 16. enthusiasm

B 1. statue 2. polish 3. profile
4. concept 5. similar 6. proportion
7. gorgeous 8. signature 9. frame
10. fragile 11. compose 12. classification
13. instrument 14. dye 15. modification
16. inspiration

C 1. ③ / ① 가치 없는, 쓸모없는 ② 화려한, 아주 멋진 ③ 매우 귀중한 ④ 비슷한, 유사한, 닮은
2. ④ / ① 분류하기, 구분하기 ② 염색하기 ③ 다듬기, 닦기, 광내기 ④ 흉내 내기, 모방하기
3. ③ / ① 틀, 액자, 뼈대 ② 측면, 옆얼굴, 프로필 ③ 조각품, 조각, 조소 ④ 초상화, 인물 사진
4. ① / ① 훌륭한, 탁월한 ② 추상적인, 관념적인 ③ 인공의, 인위적인 ④ 단조로운, 변함이 없는

D 1. (1) respectful (2) respective
2. (1) simplicity (2) similarity
3. (1) permanent (2) temporary
4. artificial 5. inspire

C 1. 그 글에는 귀중한 숨은 의미가 있다.
2. 그는 유명한 배우들을 흉내 내는 데 재능이 있고 스타가 되기를 희망한다.
3. 완성되면, 그것은 세계에서 가장 큰 석상이 될 것이다.
4. 그들은 그 그림이 그 화가의 스타일을 보여 주는 뛰어난 실례라는 것에 동의했다.

D 1. (1) 미술품을 다룰 때에는 존중하라.
(2) 밤이 되자, 그들은 각자의 집으로 서둘러 갔다.
2. (1) 그의 글은 단순함과 사실성이 특징이다.
(2) 두 경우에는 뚜렷한 유사점이 있다.
3. (1) 이 장학금은 그녀의 업적을 영원히 기억하기 위해 그녀의 이름을 따서 만들어졌다.
(2) 아름다움은 일시적이지만 몇몇 사람들은 외모가 가장 중요한 것이라고 생각한다.
4. 그 나라는 인공 섬들로 유명하다.
5. 이러한 통찰력들은 우리가 더 창의적이 되고 다르게 생각하게 하며 더 도전적인 결정을 채택하도록 영감을 준다.

Day 13 | 공연/행사 pp. 84-85

A 1. 재공연, 재상연, 회복 2. 논평, 주석; 논평하다, 해설하다
3. 두루마리, 명부, 둥근 통; 구르다
4. 놀라운, 멋진 5. 적합한, 적절한
6. 입구, 입학, 입장(권) 7. 참가자
8. 주제, 테마, 주제곡
9. ceremony 10. role 11. interval
12. award 13. annual 14. flash
15. imaginative 16. supervise

B 1. celebration 2. stage 3. admit
4. score 5. disguise 6. coordinate
7. commentary 8. audience 9. popularity
10. fade 11. actual 12. harmonize
13. imaginary 14. conduct 15. celebrity
16. reward

C 1. ② / ① 매년의, 연례의, 한 해의 ② 적당한, 적절한 ③ 멋진, 엄청난, 우화에 나오는 ④ 마술적인, 마법의, 황홀한
2. ① / ① 지연시켰다, 연기했다 ② 지휘했다, 수행했다, 행동했다 ③ 참여했다, 참가했다 ④ 감독했다, 관리했다, 지도했다
3. ④ / ① 조직, 기구, 단체 ② 조직(화), 합동, 조화 ③ 입장(료), 입학, 자백 ④ 박람회, 전시회, 설명
4. ② / ① 인기 있는, 대중의 ② 멋진, 굉장한, 무시무시한 ③ 클래식 음악의, 고전 문학의, 고전적인 ④ 연극의, 공연의, 과장된

D 1. (1) roll (2) role, role
2. (1) imaginative (2) imaginary
3. (1) active (2) actual 4. celebration
5. performed

C 1. 그 장난감은 5세 이하의 아이들에게 적절하지 않다.
2. 결승전은 금요일에서 토요일 저녁으로 연기되었다.
3. 그 박물관은 역사를 설명하는 전시회를 다음 주에 열 것이다.
4. 그는 매우 불안했지만 청중에게 멋진 공연을 선사하고 싶었다.

D 1. (1) 미나의 성적은 올랐고 그녀는 우등생 명부에 올랐다.
(2) Tim은 말 역할을 하는 반면에 Mike는 마술사 역할을 한다.
2. (1) 한 비평가는 그 식당의 메뉴가 꽤 창의적이라고 논평했다.
(2) 그가 아이였을 때, 그는 Janet과 상상 속 대화를 나눴다.
3. (1) 쥐는 밤에 가장 활동적이고 낮 동안에는 좀처럼 보이지 않는다.
(2) 몸짓은 메시지가 받아들여지는 중에 발화된 실제 말보다 더 영향을 끼칠 수 있다.
4. 그날 밤에 우리 집에서 축하 행사가 있었다.
5. 오랫동안 상연될 수 없다고 여겨진 그의 연극들은 마침내 열렬한 관중들에게 공연되었다.

Day 14 건축 pp. 90–91

A 1. 사유지, 단지, 재산 2. 건설, 건축 양식, 건축물
3. 편평한, 납작한; 평평한 부분, 아파트
4. 사색하는, 명상적인 5. 시력, 시야, 광경
6. 꾸준한, 안정된; 진정시키다, 균형을 잡다
7. 여분의, 예비용의, 남는; 아끼다, 절약하다, 할애하다
8. 비어 있는, 공허한
9. foundation 10. decoration 11. spiral
12. distinguish 13. contrast 14. suspend
15. collapse 16. external
B 1. standard 2. reputation 3. memorial
4. property 5. drainage 6. internal
7. facility 8. vacancy 9. barrier
10. alley 11. shelter 12. elaborate
13. construct 14. differ 15. suspension
16. firm
C 1. ③ / ① 장벽, 장애물 ② 유대, 결속, 채권 ③ 국경, 경계, 가장자리 ④ 짧은 기사, 개요
2. ③ / ① 대조하다 ② 보호하다, 숨다 ③ 다시 세우다, 재건하다 ④ 배출시키다, 배수하다
3. ④ / ① 설립하는, 설정하는, 제정하는, 규명하는 ② 용이하게 하는, 촉진하는 ③ 가공하는, 처리하는 ④ 공급하는, 충족시키는
4. ① / ① 화려한, 멋진, 훌륭한 ② 기념의 ③ 복잡한, 어려운 ④ 단단한, 확고한
D 1. (1) flat (2) plat
2. (1) contemporary (2) contemplative
3. (1) architecture (2) architect
4. site 5. technique

C 1. 그녀는 탁자의 가장자리에 앉았고 나는 가운데에 앉았다.
2. 그 프로젝트는 그리스 항아리를 파편들로부터 복원하는 것을 목표로 한다.
3. 그는 노숙자들에게 음식과 쉼터를 제공하는 단체를 설립했다.
4. Amy는 전 세계의 인상적인 거리 미술품들의 사진을 찍는다.
D 1. (1) 동전은 대개 둥글고 편평하다.
(2) 시 위원회는 그 작은 땅을 상업 지구로 승인했다.
2. (1) 그녀는 현대 패션을 다룬 잡지를 구독하곤 했다.
(2) 대부분의 명상 연습은 자신과 현실에 관한 우리의 관념을 세심히 평가하도록 장려한다.
3. (1) 나는 베를린에서 고딕 건축 양식과 디자인을 공부했다.
(2) 그의 경력에서 그 시점에, 그 젊은 건축가는 그렇게 큰 건물들을 설계해본 적이 없었다.
4. 그 회사는 사옥을 위한 새 부지를 골랐다.
5. Charlie는 그런 종류의 문제를 다루기 위한 새로운 기술을 시도했다.

Day 15 문학/언어 pp. 96–97

A 1. 문맥, 맥락, 전후 사정 2. 단서, 실마리; 암시를 주다
3. 줄거리, 음모; 음모를 꾸미다
4. 읽고 쓰는 능력, (컴퓨터 등의) 사용 능력
5. 연속, 순서, 차례
6. 철자를 말하다, 철자를 맞게 쓰다; 주문, 마법
7. 묘사, 기술, 설명 8. 정확한, 정밀한
9. fluent 10. linguistic 11. author
12. genre 13. term 14. pronounce
15. implication 16. recital
B 1. literature 2. content 3. recite
4. term 5. edit 6. translation
7. publish 8. tragic 9. phrase
10. revise 11. volume 12. reference
13. pronunciation 14. literate 15. literally
16. definition
C 1. ③ / ① (언어가) 유창한, 능숙한 ② 심각한, 진지한, 진심인 ③ 맞는, 정확한 ④ 읽고 쓸 줄 아는, 교양 있는
2. ② / ① 문자 그대로인, 직역의, 융통성 없는 ② 언어의, 언어학의 ③ 두 언어를 구사하는 ④ 비꼬는, 역설적인
3. ④ / ① 구들, 어구들, 관용구들 ② 장르들, 풍속화들 ③ 아이러니들, 모순들, 반어법 ④ (장편) 소설들
4. ① / ① 번역하다, 해석하다, (다른 형태로) 바꾸다 ② 개정하다, 변경하다 ③ 편집하다, 수정하다 ④ 참고하다, 참조하다, 언급하다

D 1. (1) imply (2) define 2. (1) serious (2) series
3. (1) literary (2) literate 4. described
5. context

C 1. 그녀의 소설들은 매력적이고 동시에 역사적으로도 정확하고자 한다.
2. 그들은 비언어적 공연에 특화된 극단을 설립했다.
3. 당신은 Tommy가 TV로 드라마 보는 것을 즐기는지 혹은 소설 읽는 것을 즐기는지 알고 있는가?
4. 컴퓨터는 연설을 사용자가 선택한 언어의 문자로 동시통역한다.

D 1. (1) 권리는 의무를 암시한다(권리에는 반드시 의무가 따른다).
(2) 이런 용어들을 정확하게 정의하는 것은 중요하다.
2. (1) 그것이 시작되었을 때, 그들은 갑자기 매우 심각해졌다.
(2) 그 신문은 지구 온난화에 관한 연속 기사를 실었다.
3. (1) 연극은 많은 문학 형식 중 하나일 뿐이다.
(2) 세계 성인의 몇 퍼센트가 읽고 쓸 수 있는가?
4. 그 과정은 책의 세 번째 부분에 충분히 설명되어 있다.
5. 그 강의의 목적은 적절한 문맥에서 쓰이는 언어의 예시들을 제시하는 것이다.

Day 16 | 역사/문화/지리 pp. 102–103

A 1. 골동품; 오래된, 골동품인 2. 귀족의, 고귀한; 귀족
3. 침략, 침해 4. 살다, 이주시키다
5. 식민지, 거주지 6. 관습, 협약
7. 다양성 8. 문명화하다, 교화하다
9. association 10. pioneer 11. decade
12. precede 13. range 14. altitude
15. minority 16. attitude

B 1. ethics 2. location 3. perspective
4. population 5. continent 6. conquer
7. continue 8. primitive 9. recent
10. ancient 11. taboo 12. majority
13. aspect 14. monument 15. colonial
16. derive

C 1. ② / ① 초기의, 원시의, 원시적인 ② 상당한, 중요한 ③ 사소한, 하찮은 ④ (직함에서의) 준, 제휴한
2. ① / ① 차지했다, 점령했다 ② 계속했다, 지속했다 ③ 개척했다 ④ 상속받았다, 물려받았다
3. ④ / ① 측면, 방향, 모양 ② 문명 (사회), 높은 교양 ③ 대륙 ④ 유산
4. ② / ① 주요한, 중대한, 전공의 ② 관습적인, 전통적인 ③ 다양한 ④ 금기의, 금지의

D 1. (1) custom (2) costumes
2. (1) populate (2) preceded
3. (1) ancestors (2) descendants
4. ethnic 5. geography

C 1. 그것은 우리 민족의 역사에서 중요한 사건이었다.
2. 프랑스는 그들의 식민 제국의 일부로 삼고자 멕시코를 침략했다.
3. 그 기사를 읽은 후에, 그들은 그 도시의 건축 유산을 방문하기로 계획했다.
4. 전통 디자인은 패턴을 사용하는 방식에서 현대 디자인과 상당히 다르다.

D 1. (1) 나무 주위에 와인을 붓는 것은 그들의 지역 관습이었다.
(2) 바로크풍 의상을 입은 사람들이 성 앞을 걷고 있었다.
2. (1) 그들은 15세기에 그 섬으로 이주하기 시작했다.
(2) 다큐멘터리에 앞서 그 교수의 강의가 있었다.
3. (1) 그는 그 나라의 초기 정착민들까지 거슬러 올라가 자신의 조상들을 찾을 수 있다.
(2) 직계 자손이 없는 경우에, 왕위는 가장 가까운 왕자에게 계승된다.
4. 그 나라는 다문화 국가로 다양한 범위의 민족 집단과 가치관의 고향이다.
5. 그 지역의 지형은 잃어버린 도시의 위치에 관한 고대의 설명과 일치한다.

Day 17 | 종교/철학 pp. 108–109

A 1. 신화의 2. 양심, 의식
3. 금지하다, 어렵게 하다 4. 철학, 사상
5. 영원, 영겁, 아주 오랜 시간 6. 실체, 본질, 물질
7. 근본적으로, 마침내, 결국 8. …할 운명인, …로 향하는
9. superstition 10. existence 11. logic
12. confess 13. absurd 14. instinct
15. relevant 16. worship

B 1. momentary 2. destiny 3. absolute
4. instinctive 5. myth 6. priest
7. skeptical 8. experience 9. reason
10. prey 11. convince 12. spirit
13. foretell 14. subjective 15. realistic
16. shallow

C 1. ① / ① 논리적인, 타당한 ② 종교의, 독실한 ③ 독실한, 충실한, 신의 있는 ④ 도덕의, 도의상의

2. ④ / ① 심오한, 깊은 ② 얕은, 피상적인, 얄팍한 ③ 터무니없는, 불합리한 ④ 애매한, 희미한

3. ② / ① 절대적인, 완전한, 확고한 ② 영원한, 끊임없는 ③ 본능적인, 직관적인 ④ 궁극적인, 근본적인, 최종의

4. ② / ① 회의적인, 의심 많은 ② 현실적인, 사실주의의 ③ 주관의, 주관적인, 개인의 ④ 관계가 있는, 적절한, 의의가 있는

D 1. (1) prey (2) prayed 2. (1) moral (2) morale
3. (1) momentous (2) momentary
4. immortal 5. confessed

C 1. 그는 그 성직자의 설명이 완전히 타당하다고 생각했다.
2. 우리는 그 메시지의 애매모호한 표현 때문에 혼란스러웠다.
3. 그것들은 꿈같았다. 결코 끝나지 않을 영원한 꿈.
4. 그녀는 일상생활에서 철학의 실질적인 활용에 집중해 왔다.

D 1. (1) 새는 먹이를 찾으며 위에서 빙빙 돌았다.
(2) 나는 지역의 교회에 가서 신에게 도움을 청하는 기도를 올렸다.
2. (1) 그 작가는 자신의 책에서 도덕적 판단을 내리는 것을 피했다.
(2) 그 축구팀은 경기를 잘하고 있어서 사기가 높다.
3. (1) 그가 지금이 우리 일생에서 가장 중요한 선거라고 말한 것은 옳다.
(2) 패스트푸드를 먹는 것은 여러분에게 순간적인 쾌락을 줄 수도 있지만, 그 영향은 오래 지속될 것이다.
4. 아마도 내 작품은 영구적이지는 않지만 한동안 남아 있을 것이다.
5. 그는 우려했지만, 아내에게 그의 결혼반지를 팔았다고 고백했다.

Day 18 | 여행/여가 pp. 114–115

A 1. 의미하다, 의도하다
2. (호텔 등의) 스위트룸, (가구·용품 등의) 세트
3. 기진맥진한, 지친, 다 써버린 4. 요구, 필요한 것, 필요조건
5. 흥분시키다, (반응·감정 등을) 일으키다
6. 교환하다, 환전하다; 교환, 환전
7. 먼, 외딴, 원격의 8. 예약, 보류
9. flexible 10. relaxation 11. summit
12. means 13. accommodation
14. athlete 15. voyager 16. remains

B 1. require 2. regional 3. cliff
4. pack 5. chase 6. typical
7. stroll 8. forgettable 9. wild
10. foreign 11. destination 12. recover
13. mount 14. accommodate 15. adventure
16. remain

C 1. ① / ① 항해, 여행 ② 휴식, 기분전환 ③ 자세, 태도, 마음가짐 ④ 목적지, 행선지

2. ① / ① 일반적인, 표준 규격에 맞춘 ② 이국적인, 외래의, 다른 나라에서 온 ③ 인근의, 가까운 곳의 ④ 모험을 좋아하는, 모험심이 강한

3. ③ / ① 산책, 거닐기 ② 회복함, 되찾음 ③ 추구함, 계속함, 뒤쫓음 ④ 들임, 씀, 소비함

4. ② / ① 외국의, 대외적인 ② 지역의, 지방의 ③ 야생의, 거친, 격렬한 ④ 탄력적인, 구부릴 수 있는

D 1. (1) suite (2) suit 2. (1) expense (2) exchange
3. (1) resort (2) reserve 4. spectacles
5. remains

C 1. 그들은 이른 4월에 북극으로 탐험을 출발한다.
2. 솜땀은 세계적으로 널리 알려진 대표적인 태국 음식이다.
3. 지치고 배고파서, 사냥꾼들은 마침내 여우 쫓는 것을 포기했다.
4. 지역 안내 센터에 있는 친절한 직원들은 언제나 조언해 줄 준비가 되어 있다.

D 1. (1) 고급 스위트룸은 꼭대기 층에 있다.
(2) 그는 구직 면접에서 회색 정장을 입었다.
2. (1) 그 탑은 공공 비용으로 건축될 것이다.
(2) 그녀는 교환 학생으로 스위스에 공부하러 갈 예정이었다.
3. (1) 그들은 결정을 내릴 때 감정에 따르지 않고 이성에 의지한다.
(2) 단체는 행사를 위해 배 전체를 예약할 수 있고, 개인도 자리를 예약할 수 있다.
4. 그는 내게 두꺼운 검은색 테의 안경을 하나 건네주었다.
5. 아즈텍 신전과 경기장의 유적이 멕시코시티에서 발견되었다.

Day 19 | 신체/건강 pp. 120–121

A 1. 극심한, 급성의, 예리한 2. 만성적인, 고질적인
3. 치료하는, 교정하는 4. 비만의, 뚱뚱한
5. 괴로워하다, 고뇌하다 6. 발뒤꿈치, 굽, 하이힐
7. 창백한, 옅은 8. 진찰하다, 조사하다
9. faint 10. muscular 11. symptom
12. prescribe 13. addicted 14. infect
15. immunity 16. spine

B 1. abuse 2. decay 3. breath
4. underweight 5. bleed 6. fatigue

7. therapist 8. pregnant 9. outlive
10. muscle 11. medical 12. diabetes
13. irregular 14. pharmacy 15. kidney
16. symptomatic

C 1. ② / ① (손목·발목 등을) 삠, 접질림 ② 긴장 (상태), 팽팽함 ③ 부패, 충치, 쇠퇴 ④ 근육, 근력, 압력
2. ① / ① 고통, 괴로움 ② 약국, 약품, 약학 ③ 감염, 전염병, 오염 ④ 척추, 등뼈, 가시
3. ① / ① 치료, 요법 ② 비만, 비대 ③ 피로, 피곤 ④ 당뇨병
4. ④ / ① 알약 ② 중독자 ③ 숨, 호흡 ④ 부상, (마음의) 상처

D 1. (1) stroke (2) stretch 2. (1) faint (2) infected
3. (1) acute (2) tense 4. injury
5. immune

해석

C 1. 그녀는 긴장해서 같은 실수를 반복했다.
2. 그는 심한 두통의 괴로움을 오래 참을 수 없었다.
3. 그 치료는 각 환자마다 다른 강도로 주어졌다.
4. 남자의 머리 부상은 오토바이 사고의 결과였다.

D 1. (1) 그 뇌졸중은 그녀의 몸 오른쪽을 영구적으로 손상시켰다.
(2) 그 건물은 곧게 뻗은 도로에 위치해 있다.
2. (1) 참을 수 없는 통증이 그 남자를 기절해 바닥에 쓰러지게 했다.
(2) 신장 이식을 받은 일부 환자가 바이러스에 감염되었다.
3. (1) FDA는 만성 급성 통증을 치료하는 신약을 승인했다.
(2) 그 마사지는 긴장된 근육을 이완시키고 몸의 딱딱한 부위를 풀기 위해 많은 기법을 사용한다.
4. 유감스럽게도 우리 모두는 때때로 경미한 부상을 입는다.
5. 그 의사는 대부분의 사람들이 예방 접종을 통해 그 병에 면역이 된다고 말한다.

Day 20 | 음식/영양 pp. 126-127

A 1. 필수적인, 생명의, 활기 있는
2. 맛, 향, 풍미, 조미료 3. 압착기
4. 익은, 숙성한, 무르익은 5. 알레르기, 과민 반응
6. 영양, 영양분, 음식물 7. 목마른, 갈증이 난, 갈망하는
8. 품질, 양질, 특성; 양질의
9. essence 10. spill 11. tender
12. portion 13. herb 14. starve
15. spicy 16. swallow

B 1. grain 2. flavor 3. dietary
4. vegetarian 5. spice 6. leftover
7. diet 8. vitality 9. container
10. intake 11. edible 12. hub
13. scent 14. nutritious 15. greed
16. allergic

C 1. ② / ① 영양소, 영양분 ② 성분, 구성 요소, 부품 ③ 부분, 몫, 1인분 ④ 요리, 요리법
2. ① / ① 으깨다, 찧다, 짜내다 ② 흘리다, 쏟다, 엎지르다 ③ 들어 있다, 포함하다 ④ (음식 등을) 삼키다, (모욕 등을) 참다
3. ③ / ① 먹을 수 있는, 식용의 ② 부드러운, 연한, 상냥한 ③ 필수적인, 본질적인 ④ 탐욕스러운, 게걸스러운
4. ① / ① 요구하다 ② 양념을 치다 ③ 목이 마르다 ④ 소화하다, 이해하다

D 1. (1) bland (2) blend 2. (1) desert (2) dessert
3. (1) stir (2) grind 4. starvation
5. quality

해석

C 1. 친구는 인생의 조리법에 가장 중요한 재료이다.
2. 유리그릇을 가져와서 완전히 익은 토마토에서 즙을 짜라.
3. 물은 우리 몸에 필수적인 기능을 제공하고 노폐물의 제거를 돕는다.
4. 만약 당신이 메뉴의 영양 정보를 요청한다면, 당신은 그것에 관한 인쇄물을 받을 것이다.

D 1. (1) 음식이 너무 싱겁다면 소금을 조금 넣어 간을 하라.
(2) 여러분은 빨간색과 파란색을 섞어 보라색을 만들 수 있다.
2. (1) 건조한 사막이 사방에 끝없이 펼쳐 있다.
(2) 이 크리스마스 푸딩은 축제 분위기에 맞는 디저트이다.
3. (1) 그 정도의 온도를 유지하려 하면서 우유를 10분 동안 계속 저어라.
(2) 커피 콩을 어떻게 가루로 빻는지 아는 것은 훌륭한 커피의 비밀이다.
4. 나무가 결국 비타민 결핍으로 죽을 수 있다는 것이 가능해 보인다.
5. 교육과 기술은 향상된 인간의 삶의 질에 기여해 왔다.

Day 21 | 수학/과학 기초 pp. 132-133

A 1. 젖다, 적시다, 흡수하다
2. 터지다, 터뜨리다, 폭발하다; 파열, 폭발, 돌발
3. 실험실, 연구실; 실험(용)의 4. 빼기, 뺄셈
5. 조사하다, 탐색하다, 탐사하다
6. (아주 작은) 입자, 소량, 티끌 7. 분석 (연구)
8. 숫자, 계산, 도형, 모습; 계산하다, 생각하다
9. dissolve 10. toxic 11. vaporize
12. countless 13. expand 14. solid

15. extract 16. approximately

B 1. quarter 2. scale 3. mixture
4. gravity 5. element 6. reaction
7. measurable 8. expansion 9. smash
10. observe 11. factor 12. chemistry
13. physical 14. explosion 15. neutralize
16. phenomenon

C 1. ③ / ① 분석하다, 조사하다 ② 관찰하다, 관측하다, 보다 ③ 계산하다, 추정하다 ④ 증명하다, 입증하다
2. ③ / ① 실험했다 ② 녹였다, 해산했다 ③ 터졌다, 폭발했다, 급증했다 ④ 박살냈다, 충돌했다, 힘껏 쳤다
3. ② / ① 셀 수 없는, 무수한 ② 거대한, 막대한, 엄청난 ③ 유독한, 중독성의 ④ 중립적인, 중성의
4. ① / ① 액체 ② 혼합, 혼합물 ③ 고체, 고형물 ④ 증기

D 1. (1) explode (2) expand
2. (1) subtract (2) extracted 3. neutral
4. square 5. physicist, physician

C 1. BMI(체질량 지수)는 여러분의 건강을 측정하는 유용한 수단이다.
2. 누군가 밖에서 로켓탄이라도 터뜨린 것처럼 엄청난 굉음이 있었다.
3. 햇빛은 우리 미래에 동력을 공급하는 데 도움을 줄 수 있는 대규모 에너지원이다.
4. 여러분은 온종일 많은 액체를 마심으로써 탈수를 피할 수 있다.

D 1. (1) 천연가스는 화염이나 불꽃에 노출되었을 때 폭발할 수 있다.
(2) 그는 자신의 사업을 너무 빨리 확장하려 했고 감당할 수 없게 되었다.
2. (1) 나누기를 완료한 후에 왼쪽에서 오른쪽으로 더하거나 빼라.
(2) 건강에 좋은 이 음료에는 15여 종 이상의 식물에서 추출한 30가지의 성분들이 함유되어 있다.
3. 미국은 1917년 4월까지 전쟁에서 중립을 유지했다.
4. 정사각형은 4개의 직각과 길이가 같은 4개의 변이 있다.
5. 물리학자는 물리학을 전문으로 하는 과학자이고 내과 의사는 체내 의학의 전문가이다.

Day 22 과학 pp. 138-139

A 1. 수직의, 세로의 2. 혜성
3. 동물학 4. 출현, 발생
5. (식물의) 줄기; 생기다, 유래하다
6. 수의사
7. 버둥거리다, 싸우다, 애쓰다; 투쟁, 몸부림, 노력
8. (성격·습관 등의) 특징, 특성, (유전) 형질
9. absorb 10. predator 11. astronomer
12. botany 13. branch 14. skeleton
15. habitat 16. ray

B 1. volcanic 2. tissue 3. struggle
4. lunar 5. biologist 6. nervous
7. absorption 8. neuron 9. horizontal
10. universal 11. solar 12. alien
13. evolution 14. migrate 15. sustainable
16. rotation

C 1. ② / ① 가지를 뻗다, 갈라지다 ② 회전하다, 교대하다 ③ 진화하다, 발달하다 ④ 이동하다, 이주하다
2. ④ / ① (생물 분류의 기초 단위인) 종, 종류 ② 뉴런, 신경 세포들 ③ (생물) 조직들 ④ 특징들, 특성들
3. ② / ① 번식했다, 복제했다, 재생했다 ② 견뎌 냈다, 참았다 ③ 복제했다 ④ 흡수했다, 열중시켰다
4. ③ / ① 외국의, 이질적인, 지구 밖의 ② 우주의, 전 세계의, 보편적인 ③ 해양의, 바다에 접한 ④ (환경 파괴 없이) 지속 가능한

D 1. (1) rays (2) layer
2. (1) absorption (2) reproduction
3. Neural 4. emerging 5. vertical

C 1. 지구가 태양의 궤도를 도는 데에는 1년이 걸린다.
2. 유전자는 크기나 머리카락 색과 같은 어떤 것 또는 누군가의 특징을 결정한다.
3. 세계에서 마지막이라고 알려진 갈색 판다는 서식지에서 혹독한 겨울을 견뎌 왔다.
4. 축제 첫날, 사람들은 해양 쇼와 화려한 불꽃놀이를 포함한 공연들을 즐길 수 있을 것이다.

D 1. (1) 태양 광선은 피부와 눈에 위험하다.
(2) 공장의 바닥 위에는 언제나 얇은 먼지 막이 있다.
2. (1) 비타민 D는 음식 속 칼슘의 흡수를 돕는 데 필요하다.
(2) Darwin(다윈)은 인간의 진화가 번식과 생존에 가장 유리한 유전자를 가진 이들로부터 유래했다고 설명한다.
3. 신경망은 뇌에서 많은 종류의 정보를 처리한다.
4. 플라스틱 쓰레기는 거대한 해양 동물들의 죽음의 심각한 원인으로 드러나고 있다.
5. 세계에서 가장 가파른 롤러코스터는 121도의 각도에서 43m를 수직으로 하강하는 것이 특징이다.

Day 23 | 기술 pp. 144-145

A 1. 많은, 다양한, 복합적인; (수학) 배수
2. 창안하다, 고안하다 3. 업로드하다, 올리다
4. 갖추다, 설비하다 5. 감소하다, 쇠퇴하다; 감소, 쇠퇴
6. 가상의, (표면상은 그렇지 않으나) 사실상의, 실질적인
7. 수리, 혁신 8. 시작하다, 착수하다
9. sort 10. manual 11. flawless
12. manufacture 13. equate 14. phase
15. combination 16. recharge

B 1. expert 2. circuit 3. false
4. innovate 5. efficiency 6. install
7. flaw 8. automatic 9. multiply
10. advantage 11. rapid 12. equation
13. initial 14. material 15. invention
16. progress

C 1. ③ / ① 흠이 없는, 완벽한 ② 효율적인, 유능한 ③ 수많은, 다양한 ④ 급속한, 신속한, 빠른
2. ③ / ① 처음의, 초기의 ② 핵심적인, 가장 중요한 ③ 정확한, 정밀한 ④ 전문가의, 전문적인, 숙련된
3. ① / ① (가정용) 기기들, 장비들, 전기 제품들 ② (전기) 회로들, 순회, 순환 ③ 재료들, 소재들, 물질들, 자료들 ④ 방정식들
4. ② / ① 설치했다 ② 수리했다, 보수했다, 수선했다 ③ 결합했다, 겸비했다 ④ 작동시켰다, 활성화했다

D 1. (1) decline (2) improve
2. (1) electric (2) electronic
3. equipped 4. virtual 5. automatic

C 1. 훌륭한 토론자는 언제나 다양한 주장과 그 근거를 가지고 있다.
2. 의사들은 그 질병의 명확한 특징을 규명하는 것이 어렵다는 것을 알았다.
3. 병에서부터 최첨단 기기까지, 수많은 제품들이 플라스틱으로 만들어진다.
4. 시 당국은 4개의 경기장을 수리하고 축구장에 잔디를 깔았다.

D 1. (1) 우리의 핵심 사업은 성장 전략에도 불구하고 계속해서 쇠퇴하고 있다.
(2) 한 온라인 회사는 사용자 경험을 개선하기 위해 새로운 서비스를 출시했다.
2. (1) 그 전문가는 대부분의 전기차가 배터리가 방전되기 전에 100~150마일을 주행할 수 있다고 말했다.
(2) 자기 전에 텔레비전과 스마트폰과 같은 다른 전자 기기들을 사용하는 것은 수면을 방해한다.
3. 사람들은 GPS 칩이 장착된 자전거를 그 역에서 대여하거나 반납할 수 있다.
4. 가상 현실은 실제처럼 보이는 방식으로 상호 작용할 수 있는 3D 이미지를 지닌 인공적인 환경이다.
5. 그 자동판매기는 식료품점에 갈 충분한 시간이 없는 바쁜 사람들을 위해 설치되었다.

Day 24 | 운송 pp. 150-151

A 1. 이동, 이전, (감정의) 전이 2. (교통) 연결편, 연결, 연관성
3. 혼잡하게 하다, 정체시키다 4. 화물, 수송, 운임
5. 보행자; 보행자용의, 도보의 6. 먼, (멀리) 떨어져 있는, 원격의
7. 적절한, 공정한; 박람회 8. 길을 찾다, 항해하다
9. yield 10. fasten 11. accelerate
12. fare 13. license 14. pavement
15. rescue 16. space

B 1. rough 2. depart 3. cruise
4. connect 5. commuter 6. distance
7. loaded 8. spacecraft 9. frequent
10. reckless 11. vessel 12. intersection
13. accelerator 14. transit 15. drone
16. departure

C 1. ③ / ① 잦음, 빈번, 빈도 ② 혼잡, 정체 ③ 짐, 화물, 짐의 양 ④ (대형) 선박, 배, 용기, 그릇
2. ③ / ① 순항, 유람선 여행 ② 항해사들, 조종사들, 탐험가들 ③ 사상자들, 피해자들 ④ 통근자들
3. ④ / ① 조종했다, 몰았다, 나아갔다 ② 맸다, 단단히 고정시켰다 ③ 이동했다, 갈아탔다 ④ 부딪쳤다, 충돌했다
4. ② / ① 교차로, 교차 지점 ② 오솔길, 산길, 자국 ③ 포장도로, 인도, 보도 ④ 거리, 간격, 먼 거리

D 1. (1) fare (2) fair
2. (1) passengers (2) pedestrians
3. transport 4. fright 5. accelerate

C 1. 한 트럭이 고속도로에 화물을 떨어뜨렸다.
2. 아무도 거기에 얼마나 많은 희생자들이 있을지 정확하게 예측할 수 없다.
3. 경찰은 이른 아침 새 보도 건설 작업장과 충돌한 운전자를 찾고 있다.
4. 그 길은 너무 좁아서 등산객들은 올라가거나 내려가기 위해 그들 앞에 있는 등산객을 기다려야 한다.

D 1. (1) 아이들은 반액 요금으로 여행한다.
(2) 경쟁은 모든 사람들에게 공정하고 동등한 기회를 제공한다.
2. (1) 세계에서 가장 큰 버스는 승객을 300명까지 태울 수 있다.
(2) 이 공원은 보행자들, 자전거 타는 사람들, 그리고 달리는 사람들이 휴식을 취하거나 운동을 하기에 인기 있는 지역이다.

3. 송유관은 석유를 유정(석유의 원천지)에서 보관 시설로 운송하는 데 이용된다.
4. 그는 딸이 머리에 피를 흘리며 뛰어 들어왔을 때 깜짝 놀랐다.
5. AI 혁명이 계속해서 속도를 높여 감에 따라, 사용자가 맞닥뜨린 중요한 문제들을 해결하기 위해 새로운 기술이 개발되고 있다.

Day 25 | 정치/외교 pp. 156–157

A 1. 일치, 합의, 협정; 일치하다, 허용하다
2. 위기, 중대 국면 3. 권한을 부여하다, 승인하다
4. 인종 차별주의자; 인종 차별주의(자)의
5. 유지, 보수, 관리
6. (권력 등을) 행사하다, (무기·도구 등을) 휘두르다
7. 지배하다, 우위를 차지하다 8. 자유, 해방
9. policy 10. territory 11. captive
12. minister 13. representative
14. authority 15. diplomat 16. defend

B 1. domestic 2. republic 3. racism
4. defense 5. embassy 6. immigrate
7. dominant 8. compromise 9. assemble
10. poll 11. reformation 12. radical
13. declare 14. corrupt 15. conclusion
16. candidate

C 1. ① / ① 갈등들, 충돌들, 논쟁들 ② (선거의) 입후보자들 ③ 체결, 결론들, 판단들 ④ 방어, 방위, 수비
2. ④ / ① 선언하다, 선포하다 ② 유지하다, 주장하다 ③ 방어하다, 지키다 ④ 제한하다, 제지하다, 억제하다
3. ② / ① 개정하다, 개혁하다 ② 통치하다, 다스리다, 결정하다 ③ 부패하게 만들다, 타락시키다 ④ 모으다, 소집하다, 조립하다
4. ② / ① 위신, 명망 ② 긴급(비상) 사태, 위기 ③ 타협, 절충안 ④ 공무원, 임원

D 1. (1) council (2) counsel
2. (1) authority (2) accord
3. conservative 4. democratic 5. emigrated

해석

C 1. 그 나라는 해결해야 할 영토 분쟁이 있다.
2. 정부는 시민들의 자유를 제한하는 정책들을 멈춰야 한다.
3. 전체주의는 국가가 국민을 모든 면에서 지배하는 정치 체제이다.
4. 그 위원회는 정부 기관 간의 협력을 증진하기 위해 위기관리에 관한 표준 매뉴얼을 발행했다.

D 1. (1) 빠르면 5월에 새로운 법안이 시 의회에서 논의될 것이다.
(2) 그 학생은 자신의 진로에 관해 선생님의 조언을 구하려고 전화했다.
2. (1) 그는 의식을 치르는 데 절대적인 권한과 힘을 행사한 것으로 보인다.
(2) 정치인들은 빈부 격차를 줄이기 위해 합의에 도달해야 한다.
3. 그 기관은 매우 전통적이고 보수적인 견해를 가지고 있기 때문에 새롭고 낯선 것들을 받아들이는 것이 종종 느리다.
4. 그들은 민주적인 투표 과정으로 그들 자신의 대표를 선출했고 정기 총회를 열었다.
5. 서울에서 태어난 유라는 갓난아이일 때 가족과 캐나다로 이민을 가서 15세에 시민권을 취득했다.

Day 26 | 질서/복지 pp. 162–163

A 1. 죄책감이 드는, 유죄의 2. 규제하다, 조절하다
3. 투옥하다, 수감하다 4. 약속, 전념, 헌신
5. 사기, 사기꾼 6. 동등, 등가
7. 배심원단, 심사위원 8. 정당화, 타당한 이유, 명분
9. suspect 10. investigation 11. trial
12. patent 13. disorder 14. notorious
15. release 16. adherence

B 1. justice 2. prison 3. appeal
4. witness 5. sue 6. violent
7. priority 8. order 9. illegal
10. conviction 11. swear 12. justify
13. submit 14. eventually 15. constitution
16. criminal

C 1. ① / ① 금지하다, 금하다 ② 목격하다, 증언하다 ③ 고발하다, 비난하다 ④ 맹세하다, 욕하다
2. ③ / ① 법률의, 합법적인 ② 동등한, 맞먹는 ③ 분명한, 명백한, 확실한 ④ 범죄의, 형사상의
3. ② / ① 악명 높은 ② 궁극적인, 근본적인, 최종의 ③ 탐정의 ④ 특허의
4. ④ / ① 체포했다, 막았다 ② 명령했다, 주문했다 ③ 수사했다, 조사했다 ④ 약속했다, 맹세했다

D 1. (1) principal (2) principle
2. (1) conform (2) confirm
3. regulation 4. violence 5. detect

해석

C 1. 그들은 모든 공공장소에서 흡연을 금지할 계획이다.
2. 그가 무죄라는 것은 우리 모두에게 명백했다.
3. 영국에서 최종 권한은 총리에게 있다.
4. 양측은 성실히 거래를 성사시키고 모두에게 도움이 되는 해결책을 찾기로 약속했다.

D 1. (1) 우리 학교 교장 선생님은 보통 긴 연설을 하신다.
(2) 법에서 원칙의 합의는 계약의 초석이다.
2. (1) 그 건물은 안전 법규를 따르지 않는다.
(2) 약속을 확인하는 한 가지 좋은 방법은 상세한 설명을 주는 것이다.
3. 그 새로운 규제가 올해 시행될 것으로 예상된다.
4. 폭력을 끝낼 것을 요구하기 위해 사람들이 함께 모였다.
5. 그 소프트웨어는 거짓이나 진실을 감지하기 위해 컴퓨터화된 음성 강세 분석 장치를 사용한다.

Day 27 | 경제/산업 pp. 168－169

A 1. 투자하다, (시간·노력 등을) 쏟다
2. 경제적인, 알뜰한 3. 통화, 통용
4. 분배하다, 나누다, 유통시키다
5. 인출하다, 물러나게 하다, 철수시키다
6. 수입(품); 수입하다
7. (은행) 예금, 보증금; 예금하다, 두다, 맡기다
8. 계좌, 설명; 간주하다, 설명하다
9. fortune 10. consume 11. wholesale
12. beneficial 13. bankruptcy 14. financially
15. exceed 16. possess
B 1. monetary 2. bankrupt 3. investment
4. client 5. insurance 6. purchase
7. loan 8. afford 9. guarantee
10. retail 11. consumer 12. debt
13. export 14. soar 15. amount
16. manage
C 1. ④ / ① 환불 ② 고객, 의뢰인 ③ 자금, 재정 ④ 예산(안), 비용
2. ③ / ① 부채, 빚, 신세 ② 손실, 줄임, 감소 ③ 과잉, 초과 ④ 대출(금)
3. ① / ① 값이 싼, 싸구려의 ② 관리할 수 있는, 다루기 쉬운 ③ 과도한, 지나친 ④ 운 좋은
4. ② / ① 오줌 ② 수수료, 요금 ③ 소유, 보유, 소지품 ④ 분배, 유통
D 1. (1) fund (2) refund 2. (1) currency (2) current
3. (1) economical (2) economic
4. deposit 5. account

해석

C 1. 여러분은 향후 지출의 예산을 짜야 한다.
2. 놀랍게도, 상당한 재정적 이익은 보통 회사가 그들의 가격을 내린 결과이다.
3. 그 회사는 저렴한 제품들을 제조해 그것들을 낮은 가격에 판매한다.
4. 현금 없는 거래는 공짜가 아니다. 은행은 우리가 하는 각각의 모든 거래에 수수료를 부과한다.
D 1. (1) 그 신문은 다리 붕괴 사고 희생자를 위한 기금 마련에 착수했다.
(2) 사용하지 않은 표를 매표소에 반납하면 전액 환불받을 수 있다.
2. (1) 유로는 유럽 연합(EU)의 공식 통화이다.
(2) 그 제안은 회사가 현재의 재정적 어려움을 극복하도록 돕는 것을 목표로 한다.
3. (1) 그 공정은 매우 경제적이다. 그것은 많은 돈이 들지 않는다.
(2) 그 전문가는 경제 상황이 향후 12개월 동안 나아질 거라고 예상한다.
4. 거의 2/3의 가정이 그들의 돈을 예금하는 것을 선호했다.
5. 어머니가 내 은행 계좌로 총 500달러를 송금해 주셨다.

Day 28 | 환경 pp. 174－175

A 1. 정화 장치
2. 황폐화시키다, 파괴하다, 망연자실하게 하다
3. 보호, 보존 4. 생태계
5. 번갈아 하는, 상호간의; 번갈아 하다
6. 멸종 위기에 처한 7. 파괴, 말살
8. 위험한, 무모한
9. pollution 10. ecology 11. atmosphere
12. harmful 13. immediately 14. threaten
15. extinction 16. urgency
B 1. harmless 2. herd 3. landfill
4. hatch 5. immediate 6. creature
7. sweep 8. moderate 9. indirect
10. emit 11. purify 12. risk
13. pesticide 14. sanitary 15. surface
16. rotten
C 1. ① / ① 축축한 ② 산성의, (맛이) 신 ③ 잡종의 ④ 표면의
2. ③ / ① 종류들, 품종들 ② 위협, 우려, 조짐 ③ 환경들, 상황들, 형편들 ④ 심사숙고, 반영, 반성
3. ② / ① 쓰레기 매립지 ② 쓰레기, 잡동사니, 흐트러진 상태 ③ 파괴, 붕괴, 폐허 ④ (빛·열·가스 등의) 배출, 배출물, 배기가스
4. ④ / ① 오염시키다 ② 쓸다, 휩쓸고 가다 ③ 계속하다, 지속하다 ④ 보호하다, 보존하다
D 1. (1) alternative (2) alternate
2. (1) variable (2) various 3. (1) urgent (2) extinct
4. moderate 5. devastated

C 1. 허리케인은 잔존하기 위해 축축한 공기를 필요로 한다.
2. 소란한 처음 몇 달 후에, 그는 마침내 자신의 새로운 환경에 편안함을 느낀다.
3. 거리에 쓰레기통이 있을 때, 그것은 쓰레기를 끌어 모은다.
4. 유적지를 보호하기 위해 재산 소유자와 인가된 보호 단체 사이에 법적인 합의가 이루어졌다.

D 1. (1) 그는 다리를 건너는 것 외에는 대안이 없다.
(2) 체커판에는 검은색과 흰색 정사각형이 번갈아 나온다.
2. (1) 나이는 다양성을 초래하는 다른 변수이다.
(2) 오랑우탄은 꼬리가 없어지는 것을 비롯해 다양한 방법으로 진화해 왔다.
3. (1) 한 동물 보호소는 물을 기부해 줄 것을 긴급히 호소했다.
(2) 도도새는 인도양의 모리셔스 섬에 살았고 1600년대에 멸종되었다.
4. 한 연구는 적당한 단백질 섭취가 건강에 가장 좋을 수 있다고 한다.
5. 결혼이 연기되었을 때 그녀는 망연자실해 했고 며칠동안 울었다.

Day 29 | 자원 pp. 180–181

A 1. 증가하다, 늘다, 늘리다; 증가, 인상
2. 척박한, 황량한, 결실 없는 3. 대리석, 구슬
4. 착취하다, (자원·시장 등을) 개발하다
5. 부족, 결핍 6. 줄이다, 낮추다
7. 변화, 변환 8. 전환시키다, 바꾸다; 개종자
9. resource 10. discover 11. generation
12. industrialize 13. utility 14. corporate
15. transaction 16. fertility

B 1. wasteful 2. abundant 3. fabric
4. radioactive 5. durability 6. agriculture
7. renewable 8. fossil 9. research
10. cooperate 11. mineral 12. generate
13. industry 14. deficient 15. harvest
16. consist

C 1. ① / ① 부족, 결함 ② 풍부, 다량, 부유 ③ 전환, 변화 ④ 산업, 제조업
2. ② / ① 중지하다, 그만두다 ② 버리다, 폐기하다 ③ 이루어지다, 구성되다, 존재하다 ④ 경작하다, 재배하다, 기르다
3. ③ / ① 원자재의, 가공되지 않은, 날것의 ② 극심한, 심각한, 가혹한 ③ 드문, 희귀한 ④ 기업의, 법인의, 공동의
4. ④ / ① 개종자 ② 착취, 개발, 이용 ③ 자원, 재원, 원천 ④ 감소, 하락

D 1. (1) marvels (2) marble 2. (1) Fertile (2) barren
3. (1) transact (2) transforming
4. disposable 5. utilizes

C 1. 연료 부족이 암시장의 가격을 대폭 올린다.
2. 폭설은 운전자들에게 자신의 차량을 버리게 했다.
3. 식물이 너무 부족해져서 그 나라는 야자수를 없애는 것을 금지한다.
4. 재생 가능한 기술에 투자하는 것은 탄소 배출에 상당한 감소를 가져올 것이다.

D 1. (1) 어떤 아이도 자연의 경이로움을 이해하기에 너무 어리지 않다.
(2) 로마 여신의 대리석상이 정원에서 도난당했다.
2. (1) 비옥한 토양은 식물의 기본 영양을 위한 모든 주요 영양분을 포함하고 있다.
(2) 툰드라는 척박한 황야 지역으로 '나무 없는 산악 지대'를 의미한다.
3. (1) 그들은 자원 시장에서 거래하는 것이 어렵다고 여긴다.
(2) 그녀는 바람을 에너지로 바꾸는 원리에 관해 강의했다.
4. 요즘 대부분의 사람들은 플라스틱 빨대와 다른 한 번 사용하는 일회용 제품에 의존한다.
5. 그 기계는 낮 동안 태양열을 이용하고 배터리는 그것을 아침까지 유지한다.

Day 30 | 기후/재해 pp. 186–187

A 1. 예측, 예보; 예측하다, 예보하다
2. 뜨다, 떠다니다, 띄우다; 뜨는 물건, 부표, 구명대
3. 격렬한, 맹렬한, 사나운 4. 빙하(기)의, 몹시 추운, 냉담한
5. 가뭄, 고갈 6. 처참한, 피해가 막심한
7. 사나움, 난기류, 격변 8. 위험, 위험 요소; 위험을 무릅쓰다
9. famine 10. tidal 11. frost
12. alert 13. dazzling 14. humid
15. density 16. originate

B 1. erosion 2. temperate 3. hailstone
4. melt 5. strengthen 6. rainforest
7. hazardous 8. climate 9. glacier
10. tropical 11. shadow 12. insufficient
13. intensity 14. breeze 15. origin
16. flood

C 1. ③ / ① 충분한 ② 조수의, 주기적인 ③ 극심한, 강렬한, 격렬한 ④ 밀집한, 짙은, 난해한

2. ① / ① 손실, 줄임, 감소 ② 그늘, 음영, 빛 가리개 ③ 기근, 굶주림 ④ 침식, 부식

3. ④ / ① 온화한, 절제된 ② 서리로 덮인, 급속 냉동한 ③ 눈부신, 휘황찬란한 ④ 어는, 몹시 추운, 냉담한

4. ① / ① 예측했다, 전망했다 ② 산들바람이 불었다, 수월하게 해치웠다 ③ 악화되었다, 악화시켰다 ④ 강화했다, 강화되었다

D 1. (1) drowned (2) floats 2. (1) humidity (2) density

3. (1) erode (2) erupted

4. hazardous 5. constant

C 1. 사나운 뇌우가 거대한 홍수를 일으켰다.

2. 처참한 해일이 그 마을에 광범위한 피해를 일으켰다.

3. 그녀는 그가 그녀의 비밀을 그 모임에 폭로하기 시작했을 때 그를 냉담하게 바라보았다.

4. 강력한 모래 폭풍이 사막의 서쪽 지역에서 발생할 것이라고 예보되었다.

D 1. (1) 폭우 후에 그의 작물은 흠뻑 젖은 밭에 잠겼다.

(2) 저장 탱크에서 부산물은 바닥에 가라앉고 기름은 위에 뜬다.

2. (1) 고온 다습한 상태가 이번 주말 내내 계속될 것이다.

(2) 그 그래프는 1790년부터 2017년까지의 그린란드 인구 밀도를 보여 준다.

3. (1) 유가 상승이 경제 전반에 영향을 미치고 수익성을 잠식시키도록 위협한다.

(2) 베수비오산이 폭발해 폼페이의 도시를 완전히 뒤덮었을 때, 수백 명의 사람들이 죽었다.

4. 일부 기기들은 환경적으로 위험한 물질을 포함한다.

5. 그는 2년 연속으로 뇌우와 가뭄 같은 끊임없는 자연 재해를 겪었다.

Index

기억나지 않는 단어는 체크 ✓하고 꼭 복습하세요.

A

기억나지 않는 단어는 체크 ✓하고 꼭 복습하세요.

F

J

K

L

M

N

기억나지 않는 단어는 체크 ✓하고 꼭 복습하세요.

기억나지 않는 단어는 체크 ✓하고 꼭 복습하세요.

T